KB171627

하마터면 커리어 망할 뻔했다

끊임없는 도전, 그들의 이직 이야기

하마터면 커리어 망할 뻔했다: 끊임없는 도전, 그들의 이직 이야기

발 행 | 2024년 04월 17일
저 자 | 화현(花炫)
펴낸이 | 한건희
펴낸곳 | 주식회사 부크크
출판사등록 | 2014.07.15(제2014-16호)
주 소 | 서울특별시 금천구 가산디지털1로 119 SK트윈타워 A동 305호
전 화 | 1670-8316
이메일 | info@bookk.co.kr

ISBN | 979-11-410-8151-5

www.bookk.co.kr

하마터면 커리어 망할 뻔했다

화현(花炫) 지음

CONTENT

프롤로그

2023년, 기나긴 코로나-19 팬데믹 시대의 어두운 터널을 지나 엔데믹 시대로 접어들었습니다. 이 변화의 시기 속에서 많은 사람들은 새로운 도전과 기회를 향해 나아가고 있습니다. 특히, 직장인들에게 이직은 자기 삶과 직장에서 더 큰 의미를 찾고자 하는 많은 이들에게 일상이 된 것으로 보입니다.

대부분은 고등 과정을 거쳐 대학에 입학하여 전공 공부를 시작합니다. 이런 과정은 꿈을 이루는 과정이며 더 좋은 직업이나 직장을 얻기 위한 일련의 준비 과정으로 볼 수 있죠. 대학 4년 동안 등록금을 어렵게 내고 다니면서 작게는 지식과 경험을 쌓게 되고 나아가 작은 사회 경험을 쌓는 시기입니다. 대학 생활은 사회생활과 인간관계를 경험하게 되며 매너, 배려부터 전공 지식을 습득하는 중요한 시기입니다. 또한, 동아리 활동이나 스터디를 통해 더 많은 인적 네트워크를 형성할 수 있는 곳이지요. 대학 졸업 시기에 다양한 선택과 준비가 이루어집니다. 일부 사람들은 취업을 준비하고, 또 다른 사람들은 대학원 진학이나 공무원 시험 등을 준비하기도 합니다. 그런데 이렇게 힘들게 공부하고 준비하여 입사한 회사를 오래 다니지 못하고 퇴사하는 경우가 발생하게 되었습니다. 회사에 다니다 보면 얼마 지나지 않아 퇴사하는 동기들이 하나둘 나타나면서 나도 이직해야 하나 하는 생각이 들기도 합니다.

코로나-19 팬데믹이 발생함에 따라 정부의 경제적인 지원과 더불어 기업의 디지털 전환이 급격히 시도되었습니다. 재택근무가 활성화되면서 근무 환경의 새로운 모습이 형성되었고 많은 직장인은 이직 기회를 엿보았습니다. 직장인 중에서도 여전히 꾸준하게 무언가를 준비하면서 이직에 성공한 자, 프로 이직러를 찾아보았습니다.

이 책은 시대의 변화에 따라 조직을 이동한 프로 이직러 14명의 이야기를 담았습니다. 자신만의 독특한 경험을 공유하며 이직을 결정한 이유, 이직

과정에서 마주한 시련과 이직의 노하우를 솔직하게 인터뷰 형식으로 담았습니다.

그들이 겪은 직장 생활의 고충과 시련에 공감하면서 새로운 환경에 도전하여 성장한 스토리를 공유하고자 합니다. 새로운 직장을 찾는 과정에서의 기대와 좌절, 학습과 경험을 통해 얻은 직업과 자아에 대한 깨달음, 그리고 인간관계와 사회적 상호작용에서 발생한 온갖 감정들을 가감 없이 들려주었습니다.

프로 이직러는 현재의 삶에 안주하지 않고 각기 다른 목표를 가지고 본인의 가능성을 발휘하여 새로운 곳을 향해 나아갔습니다. 그들의 용기 있는 스토리는 당신에게 용기를 주며, 새로운 환경에서 자신을 발견하고 성장할 수 있는 힘을 불어넣어 줄 것입니다. 그들의 스토리를 통해 현재 이직을 고려하는 당신이 깊은 통찰력과 영감을 얻기를 희망합니다.

당신은 직장 생활의 괴로운 상황에서 벗어나기 위해, 새로운 도전을 찾기 위해, 혹은 업무에서 더 큰 성취감을 찾기 위해 이 책을 선택했을 거라고 믿습니다. 그들의 이직 이야기는 성공적인 이직에 대한 귀중한 교훈과 관점을 제공할 것입니다.

★ 이 책을 통해 도움을 받을 수 있는 분

1. 이직을 한 번도 준비 안 하신 분
2. 이직에 두려움이 없으신 분
3. 현재 직장에서 스트레스가 심하신 분
4. 고연봉으로 점프하고 싶으신 분
5. 현재 직장에서 더 이상 발전이 없어 자극받고 싶으신 분

★ 이 책이 도움 안 되는 분

1. 현 직장에 만족하시는 분
2. 이미 이직을 많이 해보신 분
3. 이직한 지 1년이 안 되신 분

이 책은 14명의 이직러 스토리를 통해, 더 나은 자신을 발견하고자 이직을 준비하는 당신에게 동기 부여의 발판이 될 것입니다. 그들의 이야기는 우리 모두에게 용기를 주며, 당신이 직면한 변화를

긍정적으로 받아들이고 성장할 수 있는 힘을 깨닫게 할 것입니다.

직장을 이동하는 것은 두렵고 쉽지 않은 용기와 도전이 있어야 합니다. 이는 안정된 직장의 안락함과 익숙함을 뒤로하고 모험을 떠나야 하기 때문입니다. 그러나 많은 사람에게 이직의 보상은 위험을 뛰어넘는 가치가 있습니다.

사회는 빠르게 변화하고 있으며, 우리의 가능성은 무한합니다. 아무도 당신의 성장과 앞으로의 발전을 제한할 수 없습니다. 당신의 꿈과 열정을 실현하기 위해 끊임없이 도전하며 앞으로 나아가기를 바랍니다. 평생직장이라는 개념이 없어지고 있는 현대 사회에 이 책을 통해 이직을 고민하는 분들에게 작은 희망과 용기를 전달하고자 합니다.

이 책은 변화와 도전이 주는 기회의 가치를 깨닫고, 이직러가 발견한 더 나은 자신과 세상에 대한 인사이트를 공유하고자 합니다. 이들의 경험은 당신에게 새로운 길을 열어 줄 뿐만 아니라, 언젠가 직면하게 될 변화에 대한 용기와 지혜를 얻을 수 있도록 돕고자 합니다.

'반드시 더 좋은 곳으로 떠나자'라고 마음속으로 외치며 오늘도 파이팅해 봅시다. 당신은 자신의 가능성과 목표를 믿고 앞으로 나아갈 수 있습니다. 오늘도 출근한 당신에게, 이 책은 작은 희망과 용기가 전해지기를 바랍니다.

2024.04.

벚꽃이 만개한 날, 화현(花炫)

제1화 하고 싶은 일이 있다면 떠나라

안녕하세요. 저는 지금까지 3번 이직한 40세 남자입니다. 첫 직장은 작은 연구소였습니다. 그 당시에는 대학을 막 졸업한 갓 신입이었기 때문에 큰 욕심은 없었어요. 그런데 한 2년 정도 지나자 일이 좀 손에 익으면서 석사과정에 입학했지요. 대학원에서 논문을 쓸 때 비록 석사논문이지만 퀄리티 좋은 논문을 쓰고자 마음을 먹었고, 이때 지도 교수님께서도 좋게 봐주셨어요. 그리고 논문이 마무리되고 졸업을 할 때쯤 교수님께서 연구실 선배를 소개해 주셨어요. 선배가 다니고 있던 회사의 채용 소식을 듣고 그 회사 입사 준비를 했습니다. 석사 졸업에 대한 인정이나 연봉 대우가 없다는 점이 아쉬웠지만 소위 대기업으로 알아주는 회사였고 나이 대비 연봉도 높은 편이어서 합격 후 바로 입사했어요.

하지만 제가 입사하고 나니 저보다 아린 분들도 있었고 공무원 같은 조직 문화가 있어서 제가 아무리 열심히 일한다고 해도 승진에는 순서가 있더라고요. 이런 조직 문화는 저처럼 일을 열심히 하는 사람에 대한 배척이 있습니다. 한 예로 제가 열심히 하고 싶은 욕심이 있어서 야근한 적이 있었는데 한 선배가 저를 부르더군요. 그 선배가 말하기를 우리 회사는 승진, 평가 다 순서가 있으니까 이러면서 선배 앞지르려 하지 말고 집에 가라고 하는 거예요. 저는 그 얘기를 듣는 순간 갑자기 화가 나더라고요. 그것은 더 이상 미래가 없다는 것과 마찬가지였고 제가 일을 더 많이 해도 저에게 성과나 보상이 적절히 이뤄지지 않는 결과로 이어졌죠.

대기업 다녀 보신 분들은 다 공감하는 이야기일 수도 있지만, 승진이 제때 이뤄지지 않는 것보다는 일의 열정이 없어지는 것이 더 힘들었기에 저에게 좌절감과 허무함이 밀려오는 사건이었습니다. 조직도 알고 승진 적체가 심하다는 것을 알고 있었지만 노령화나 정년 보장의 이유로 어린 사원이나 대리를 승진시켜 줄 생각은 전혀 없었죠.

제가 이곳에서 사회생활을 하면서 자발적으로 야근을 해도 동료들은 좋게 보지 않았어요. 동료나 상사와의 친목이 가장 중요한 회사였던 것 같아요. 그러니 저는 이러한 조직 문화에 반기를 들 수도 없었고 거스를 수 없었어요. 당시에는 불합리하다고 생각했지만 10여 년 전만 생각을 해봐도 한국의 기업은 대부분 군대 문화가 자리 잡고 있는 회사가 많았었죠.

저는 아무리 연차가 쌓여도 발전이 없겠다는 생각이 들었고 그러면서 이직에 대한 생각을 슬슬 하게 되었어요. 같은 부서 부장님의 말도 안 되는 업무 지시도 이직에 동기 부여가 되었고 딱 그때부터였던 거 같아요. 대기업의 특성상 승진이 제때 되지 않았고 승진 시험도 반기마다 있었는데 티오도 정말 적었어요. 그러다 보니 한두 해 넘어가며 다른 회사에 다니는 친구들보다 점점 연봉과 직급 격차가 벌어지는 것을 느꼈어요. 평가와 승진시험 등 말도 안 되는 이유로 계속 승진이 밀리고, 나이는 먹고 아이는 크고 승진은 되지 않아 자괴감이 커졌죠. 이런 거 저런 거 신경 쓰지 말고 내려놓고 다녀야 한다고 동기와 선배들이 말해 주었지만, 납득이 가지 않았어요.

이를 극복해야 하는 시점인 딱 과장이 될 때쯤 사내 협업부서에서 일하면서 컨설팅회사의 상무님을 알게 되었어요. 지속해서 연락하고 지냈는데 그분을 통해 컨설팅 업계로 전직을 할 수 있다는 희망을 보게 되었죠. 그래서 저를 많이 어필했고 저만의 전문성을 키우고자 공부를 많이 했어요. 결국 컨설팅사로 이직하게 되었죠. 제가 이직하면서 가장 크게 느낀 것은 이전 회사에서는 사람 관계를 중하게 여기는 문화였는데, 이번 회사는 치열하게 일의 성과를 중요시하는 조직 문화이기 때문에 제가 추구하는 마음과 같아서 마음이 편안해졌다는 것입니다.

첫 직장에서 이직했을 때는 경력이 짧고 준비가 안 되어 있는 상황이었지만, 두 번째 직장에서는 성취주의자로서 만족시켜 줄 수 있는 환경에서 일하고자 마음이 컸기 때문에 이직을 할 수 있었던 것 같아요. 그리고 세 번째 직장에서 저의 가치를 인정해 주는 곳으로 이동할 수 있었습니다. 이때는 연봉이 가장 큰 요인이었어요. 기본급이 가장 많이 오른 시기였습니다.

지금 생각해 보면 제가 이직해야겠다고 마음먹은 시기는 조금 늦은 감이 있었어요. 왜냐면 회사에서 승진 차례를 언급하면서 '이번에 네 차례다.' 이런 느낌을 지속해서 몇 년간 주었거든요. 그래서 승진과 연봉에 대한 기대를 하고 있었지만 한 1~2회가 계속 누락되었고 한 두 해는 그냥 흘렸어요.

지금 돌아보면 이직 결심을 좀 더 빨리했으면 좋았겠다는 생각도 하지만 그렇다고 지금 이직한 것에 대해서는 후회가 없어요. 제가 할 수 있는 최선을 다했고 제가 하고 싶은 일을 찾으면서 저의 커리어 패스를 확장했으니까요.

이직할 때 연봉이 첫 번째 고려 사항은 아니었고 가장 중요하게 본 포인트는 저의 성취욕을 충족시켜 줄 수 있는가, 그리고 제 커리어를 지속해서 확장해 나갈 수 있는가였고 제가 할 수 있는 일, 하고 싶은 일을 하는가였어요. 즉, 하기 싫은 일은 하고 싶지 않다는 것이었지요.

계속해서 금융시장의 환경이 변화하듯이 취업 시장도 계속 변하고 있고 흐름이 있어요. 한 직장에서 살아남기 위해서는 자신의 직무에서 본인의 노하우를 지속해서 키워 나가야 한다고 생각해요. 그래야 이직에 대한 두려움을 줄일 수 있고 언제든 준비된 인재가 될 수 있답니다.

• 본인의 KICK이 있다면?

전문성을 갖춘 일을 수행하는 것은 중요하다고 생각합니다. 현대 사회에서는 기술의 발전과 자동화의 진행으로 로봇이 일부 업무를 대체할 수 있게 되었죠. 그러나 여전히 인간만이 수행할 수 있는 일도 많다고 생각해요. 따라서, 본인의 전문성을 발전시키고 로봇으로 대체하기 어려운 일에 집중해 본인의 역량을 발휘하는 것이 중요합니다.

대부분의 근로소득자는 세금 부담과 인플레이션으로 인해 경제적으로 압박을 받을 수 있습니다. 이를 고려하여 월급 외의 투잡을 고려하는 것은 현명한 선택입니다. 저는 특히 코로나-19 시기에 스타트업 시장이 확장하는 것을 보고 창업에 대해 생각하게 되었어요. 그래서 현재 창업 준비를 병행하고 있으며, 본인의 기획력을 바탕으로 개발자와 협업하여 애플리케이션을 구현할 계획입니다. 대기업에 다니고 있었다면 이런 실행을 적극적으로 추진하기 어려웠을 것입니다. 현재는 더 나은 비전과 결과를 이루어 낼 것을 확신합니다.

• 이직러에게 조언을 해 준다면?

저는 자기 확신을 강조하고 싶습니다. 사회생활을 하면서 '또라이 질량의 법칙'이라는 말을 들어본 적이 있을 것입니다. 저는 이 문구를 아주 많이 실감했고 동감하는 바입니다. 또라이들도 회사에서 살아남기 위해서 그런 언행을 하는 거라고 생각을 해봤지만, 그들을 이해하기는 쉽지 않죠. 가스라이팅도 한두 번이지, 제가 그런 상황에서 당하는 입장이 되자 화가 나고 분노와 우울감을 느끼게 되었습니다. 초년생 때는 가스라이팅인지 조언인지 구별도 못 하고 '내가 이렇게 머저리인가?' 하는 생각도 많이 했어요.

왜 나는 이렇게 일을 못 할까? 하는 자괴감에 시달리면서 몇 년을 보냈는데도 그 상황을 벗어나지 못했어요. 팀장이 3년 넘게 계속 변경되지 않았으니까요. 지금 생각해 보면 시간이 아깝다는 생각이 듭니다. 자괴감에 빠져 있을 시간이 없었는데 말이죠. 저 스스로 그냥 넘겨 버리면 되는 것을 제 탓을 하고 있었으니까요. 하지만 이직해야겠다 마음먹은 순간부터 그 사람들에게 듣는 말과 행동에서 벗어나야 한다고 판단하게 되었어요. 그래야 정말 제가 제정신으로 살 수 있을 거 같았기 때문이죠. 그런 의미로 자신에 대한 확신과 믿음을 강조하고 싶어요. 그 누구도 나의 앞길을 막지 못하도록 더 많은 노력을 해야 한다고 생각했고 하루하루 실천했습니다.

제2화 안정성 추구한 자 떠나라

안녕하세요. 증권사에서 첫 직장을 시작한 41세 여성입니다. 증권사는 연봉을 조금만 더 올려주면 이직이 활발히 일어나는 분위기가 있습니다. 시장 상황에 따라 증권가는 매우 달라지긴 합니다. 30대라 도전하는 마음으로 이직하는 분위기에 쉽게 동요되었어요. 2번을 이직하면서 무조건 연봉을 높이는 방향으로 진행했습니다. 그러나 2008년 경제 환경이 어려워지면서 증권 시장도 조금 어려워졌습니다. 특히 증권 산업 특성상 40세 전후에는 퇴직을 고려해야 하는 상황이었습니다. 이러한 상황에서 저는 안정적이고 정년이 보장되는 곳으로 이직하고 싶다고 생각하게 되었습니다.

금융권 중 보험사가 정년이 보장된다는 얘기를 듣고 이직을 준비했습니다. 그러나 증권사에서 수행한 특수한 업무를 유지하면서 이직하는 것은 어려운 영역이었습니다. 그 당시 보험사에서는 그 분야 전문가를 채용하고자 했기 때문에 경쟁률이 높았습니다. 그런데도 제가 이직하려던 시기에 그 분야에 대한 타이밍이 좋아서 보험사에서 그 분야를 채용하려 했던 것 같습니다. 그러나 비록 경쟁률은 낮더라도 합격은 어려울 것 같았는데, 이는 전문가들이 은근히 많이 분포되어 있다는 점을 실감했기 때문입니다. 1년 동안 증권사에서 버텨가며 이직 준비를 하고, 무수히 많은 면접에 참석했습니다. 당시 20대 후반에서 30세 초반이었기 때문에 면접까지는 쉽게 진행되었어요.

그러던 중 서류전형에서 불합격하게 됐던 보험사에서 공고가 올라와서 다시 지원하게 되었습니다. 그곳에는 첫 번째 면접 때 저를 기억한 한 임원이 있었는데, 그분이 제 이력서를 보고 기억해 주셨다는 사실을 합격한 후에 전해 들었어요. 그분은 두 번째로 지원하는 것을 보면 포기하지 않을 것 같았다고 피드백을 주셨고, 이를 통해 저는 합격하게 되었다고 들었습니다.

한 회사에 두 번 지원하면 보통 서류에서 걸러진다고 알려져 있지만, 저는 최종 합격까지 할 수 있었습니다. 이는 운이 좋았을 수도 있고, 해당 분야의 특수성으로 인해 가능했을 수도 있습니다. 하지만 정년 보장을 기대하며 입사했지만 보험사 특성상 회사에 여러 가지로 실망하는 일들이 발생했어요. 대기업 특유의 문제와 승진 누락, 낮은 연봉 상승률에 실망감을 느꼈고, 특히 성과급이 증권가보다 낮다고 생각했습니다. 그래서 다시 이직을 준비하게 되었습니다.

아이러니한 점은 처음에는 정년 보장만 되면 된다고 생각했지만, 재직 당시 업무가 생각보다 단순하다 보니 발전이 없다는 생각이 들어서 저 스스로 괴로웠다는 것입니다. 일을 하면서도 성과 평가가 제대로 이루어지지 않는다는 불만을 많이 느꼈고, 30대 후반 임에도 불구하고 대리 직급에 머물러 있다는 점에서 승진적체라는 것을 심각하게 느꼈으며 이 점이 가장 큰 이직 요인이 되었습니다.

현재는 스타트업 블록체인 업계에서 설계 업무와 컨설팅 업무를 병행하고 있습니다요. 일을 하면서 새로운 기술에 관한 공부를 하며 즐겁고 흥미로운 경험을 하고 있어서 현재의 삶에 대한 만족도가 매우 높은 편입니다.

• 이직러에게 조언을 해 준다면?

무엇보다도 저는 연봉을 이직의 가장 중요한 요소로 여겼어요. 연봉이 낮으면 절대 이직하지 않았고 기다리다 보면 저에게 맞는 이직 기회가 반드시 생길 것이라는 확신이 있었어요. 지금 제 나이대는 보통 중간 관리자로 성장하는 시기지만, 보험사의 경우 승진 사이클이 너무 길고 느리기 때문에 나태해지고 지루해질 수 있어요. 그런 생활이 잘 맞는 사람들은 회사에 충성심을 가지고 다닐 경우일 수도 있지만, 모든 사람이 그렇지는 않습니다. 사람마다 처한 경제적 여건과 상황이 다르기 때문에 이직을 결정하는 사람들은 계속해서 발생한다고 생각해요. 사람마다 생각과 가치관은 다르지만, 본인이 원하는 우선순위를 정하고 이직을 준비하는 것이 중요하다고 말씀드리고 싶어요.

저는 헤드헌터로부터 많은 제안을 받고 면접을

많이 보러 다녔지만, 마지막까지 잘되지 않은 경우가 대부분이었어요. 급할수록 돌아가라고 하지만, 상반기와 하반기 공채 시기에도 준비를 틈틈이 해왔고, 자발적으로 공고를 찾아서 지원했던 케이스입니다. 면접을 보면서 많은 노하우를 얻을 수는 있었지만, 결국에는 제가 원하는 회사에 직접 지원하여 이직하게 되었습니다. 회사에 다니면서 사람 간의 관계나 업무적인 스트레스는 크지 않았으며, 워크-라이프 밸런스(이하 워라밸)와 같은 요소는 중요시하지 않았습니다.

제3화 전문직도 이직 시대

안녕하세요. 저는 40대 초반의 회계사입니다. 저는 4남매로 자랐기 때문에 가정이 경제적으로 조금 어려운 환경이었습니다. 그래서 돈에 대한 강한 열망이 있었고 어릴 적부터 대학에 진학하지 않으면 성공할 수 없다고 생각했어요. 대학 시절에도 아르바이트를 하며 열심히 등록금을 벌기 위해 주경야독을 했지요. 군대에 있을 때 많은 생각을 하게 되었는데 경영학을 전공한 후 어떻게 돈을 벌 수 있는지 고민을 많이 했습니다. 회사에 취업했을 때 40대에 은퇴하면 노후는 어떻게 대비해야 하는지에 대한 걱정이 생기게 되더라고요. 그래서 자격증이 필요하겠다는 생각이 들었고 군대 전역 후 회계사 공부를 시작했습니다.

저는 부모님이 기대하는 바도 컸고 어린 나이에

성공해야 한다는 생각을 같은 또래 친구보다 많이 했어요. 회계사가 되면 자격증으로 노년 이후에도 돈 걱정은 안 할 수 있다고 생각했지요. 회계사 공부는 제가 할 수 있는 상대적으로 쉬운 방법이라고 생각했습니다.

군대 전역 후 회계사 자격증을 취득하기 위해 열심히 공부했고 대학 졸업 후 2년 만에 취득하게 되었습니다. 그리고 회계사 자격증을 취득한 후 국내의 메이저 회계법인에 비교적 쉽게 입사했습니다. 회계사 자격증은 회계 분야에서 전문성과 신뢰성을 인정받을 수 있는 자격증이라 취업 걱정 없이 지원한 회계법인에 쉽게 합격할 수 있었다고 생각합니다.

회계 분야는 법규와 규제의 변화에 민감하여, 지속적인 자기 계발과 업무 능력 향상이 필요한 분야입니다. 그래서 끊임없는 학습과 업무에 대한 자기 계발을 추구해야 했습니다.

저의 첫 직장은 국내 메이저 회계법인으로 비교적 쉽게 시작했습니다. 그러나 실제로 입사하자 사회생활은 제가 예상했던 것과 많이 다른 경험이었습니다. 업무량이 상상 이상이었고, 당시 회계사로서의 대우도 좋지 않았던 시기였습니다. 야근이 빈번하게 발생하고, 업무 대비 박봉으로 매우 힘들었습니다. 저는 회계사 자격증만으로 신입으로 입사했기 때문에 자세한 설명 없이 업무에 투입되었습니다. 업무를 스스로 처리해야 했고, 문의 사항을 찾아가며 업무를 진행하는 과정에서 많은 시간과 노력이 필요했습니다. 특히, 점심시간에도 업무를 처리해야 하는 경우가 종종 있었고, 결혼 적령기에 해당하는 시기였기 때문에 데이트를 제대로 즐기지 못한 점도 아쉬웠습니다.

이후 투자회사로 이직하게 되었고 워라밸은 최고였습니다. 회계사로서 숫자에 대한 감각이 있어서 투자 업계에서 성과를 내기에도 이점이 있었습니다. 저는 무엇보다도 업무환경보다는 워라밸이 더 중요하다고 생각하여 이직 조건에서 연봉 상승보다도 업무환경이 우선순위였습니다. 워라밸을 가장 중요하게 생각하고 있으며 현재도 이직을 준비하고 있습니다.

• 본인의 KICK이 있다면?

무엇보다도 자격증은 제 강점 중 하나가 분명합니다. 그러나 더 중요한 것은 면접에서 자신의 강점을 어필하는 것이라고 생각합니다. 자격증이 있어서 그런지 몰라도 근거 없는 자신감으로 면접자들에게 좋은 인상을 주고 그들이 원하는 대답을 하여 긍정적인 반응을 얻을 수 있었습니다. 스펙이 거의 동일한 지원자들 사이에서 면접은 가장 중요한 부분이라고 생각합니다. 경력직의 경우 이직은 면접 경쟁에서 이루어지는데, 보통 면접 준비를 소홀히 하는 경우가 많습니다.

제가 지금까지 이직한 경우 헤드헌터나 지인 소개로 이루어진 적은 없으며, 모두 공고를 찾아보고 직접 지원했습니다. 초기에는 연봉이 매우 낮았지만, 회계사 수요가 증가하면서 이직 시 연봉은 어느 정도 기준을 충족하는 쪽으로 진행하였습니다.

특히 워라밸은 저에게 있어서 무조건 1순위였습니다. 그렇지만 연봉은 고려하지 않았던 것은 아닙니다. 비유를 하자면 소개팅에서 외모를 고려하지 않는 친구가 있는데, 그렇다고 외모를 전혀 고려하지 않는 것은 아니라는 겁니다. 연봉은 이직 조건에서 상대적으로 중요한 요소 중 하나였지만, 제 경우에는 워라밸이 먼저였고 연봉은 다섯 번째 정도로 고려했습니다.

저는 처음부터 보상이나 평가에 대한 큰 기대를 하지 않았습니다. 국내 대기업에서 공정한 승진 평가를 받는 사람들은 많지 않다고 생각합니다. 누구나 완벽하게 만족하는 평가와 승진 시스템은 없다고 보았고 이러한 상황을 빨리 이해하고 인식한 것이 제가 일찍이 워라밸을 선택한 점입니다. 평가와 보상에 대한 기대는 포기하고 투자 분야로 이직하여 성과를 중점적으로 추구하려고 노력했습니다. 그러나 투자 분야도 현실적이고 냉정한 면이 있습니다. 그래서 요즘 경제 상황이 악화하면서 재무팀으로의 이직을 고려하고 준비하고 있습니다.

• 이직러에게 조언을 해준다면?

무엇보다도 현재 상황에서 직급이나 연봉을 낮

추는 것은 절대로 피하라고 말씀드리고 싶습니다. 일반적으로 사람들은 멋지게 사직서를 던지고 다른 이직처를 찾는 경우가 많아요. 이런 경우에는 백수로 지내는 시간이 길어질수록 면접 보고 최종 합격이 되는 순간, 인사팀하고 갑과 을의 관계가 묘하게 생성이 됩니다. 그렇기 때문에 계약 전에 초조해지기 쉽고, 회사에서 제시한 협상 제안에 그대로 따라서 계약서에 서명하기 쉬워요. 그렇게 되면 부당한 근로 계약인지도 모르고 연봉도 낮아지고 직급도 깎이는 경우가 발생해요.

그래서 저는 여러분이 현재 회사에 재직하면서 견딜 수 있는 한도 내까지 버티고 또 버티면서 다른 이직처를 찾아봐야 한다고 말씀드리고 싶어요. 원하는 연봉과 직급을 높여서 이직하는 것이 좋은 선택일 것입니다. 하지만 현 직장에서 직장인 괴롭힘이나 가스라이팅이 심하거나 정신적, 육체적으로 힘든 상황이면 버티지 마시고 바로 퇴사할 것을 추천해 드립니다. 본인의 행복과 건강이 제일 중요하고 그 이후에 회복이 된 다음에 이동해도 늦지 않습니다. 우울한 상태에서는 다른 회사를 찾기 힘들고 이직도 당연히 어렵게 됩니다. 사회생활에서는 멘탈 관리가 가장 중요하다고 생각합니다. 본인의 의지와 다르게 타인에 의해 감정이 요동치게 될 수 있어요. 본인의 감정 컨트롤을 잘 하시고 본 게임을 잘 준비하시길 바랍니다.

제4화 만족하지 않는 자 떠나라

안녕하세요. 저는 40대 중반이고 지금까지 5번째 이직한 자칭 프로 이직러입니다. 경력으로는 약 12년 차이고 이직에 능숙한 경력직이라고 자부합니다. 대학에서 산업공학을 전공한 후 IT(정보통신) 회사인 SI 회사에 입사했습니다. 그 당시는 개발자에 대한 대우가 좋지 않았습니다. 그래서 2년간 근무하는 동안 업계보다 낮은 연봉으로 계속 야근하며 사회생활을 이어가기가 어려워졌습니다.

그래서 돌파구로 이직을 선택했습니다. 대학원 선배가 다니고 있던 증권사의 SI 부서로 이직하여 시스템 구축 업무를 맡았습니다. 증권사는 금융권에 속하며 성과급이 높은 편인데 첫 이직은 지인 소개로 비교적 쉽게 성공적으로 이뤄졌습니다. 저는 대학에서 금융공학을 전공했는데 개발자로 사회생활을 시작했던 터라 직무를 변경하고 싶었어요. 그런데 입사 후 시스템 설계 업무를 수행하다가 프로젝트가 끝나고 금융공학 기획자로 전향할 기회가 찾아왔습니다. 그래서 직무를 변경하고 1년 정도 PM 역할을 할 수 있었어요. 그 이후 저는 증권사에서 은행, 보험사, 자산운용사로 각각 한 번씩 더 이직했어요. 이렇게 이직을 많이 하게 된 이유는 연봉을 높이는 것이 목표였기 때문이고 개발 직무를 완전히 벗어나기 위해 노력했기 때문입니다.

석사 전공을 금융공학으로 졸업하면서 직무를 변경해서 연봉을 점프할 수 있었습니다. 제 경력을 돌이켜보면 은행에서 사회생활을 하는 것이 가장 적합했다고 생각합니다. 은행은 일반적으로 보수적인 조직이지만 조직 문화가 밝고, 활발하고 유쾌한 분위기를 갖추고 있었습니다. 제가 담당한 직무는 혼자서 수행하는 직무였지만 팀원들과 협업이 필요한 경우도 많았습니다. 많은 조직을 겪다 보니 은행의 근무 순환구조 때문에 직원 간 서로 이슈를 해결하기 위해 도움을 주고 지원하는 조직 문화가 인상 깊었습니다. 그래서 은행에서 계속해서 일하고 싶었지만, 해마다 계약 연봉 상승률이 높지 않아 다시 이직하게 되었습니다. 전 부모님을 부양하고 있고 결혼 후 아이 둘이 있는 가장으로서 연봉이 가장 중요했어요.

지인 소개로 이직하는 것은 공고를 보고 이직하는 것과는 다른 장단점이 있습니다. 지인 소개로 입사하면 내부 사정을 어느 정도 알 수 있어서 조직에 더 쉽게 적응할 수 있었습니다. 또한 성과 체계, 승진 및 평가에 대한 대략적인 상황을 미리 파악할 수 있어 연봉 협상에서 유리한 입장에 있을 수 있었습니다. 또 지인이나 선배로부터의 소개로 입사하는 경우에는 이미 해당 회사에서 일하고 있는 사람의 추천을 받았기 때문에 조직 내에서 신뢰를 얻을 수 있고, 원활한 의사소통과 협업이 이루어지기도 했습니다. 기존 직장과 비교해 더 나은 조건으로 이직할 수 있는 경우도 있어 연봉 협상에서 유리한 위치에 있을 수 있었습니다.

하지만 지인 소개로 이직하는 경우에도 주의할 점이 있습니다. 지인과의 관계가 일과 개인 사이에서 긴장감을 유발할 수도 있으며, 일이 잘 풀리지 않았을 때 서로에 대한 압박이 커질 수 있습니다. 또한, 회사 내에서 주변 사람들과 관계에 대한 부담감을 느낄 수도 있습니다. 따라서 지인 소개로 이직하는 경우에도 장단점을 고려하고 적합한 조직과 자신의 목표에 맞는 선택을 하는 것이 중요합니다.

• 본인의 KICK이 있다면?

연봉 협상은 이직 과정에서 중요한 부분이라고 생각해요. 조직과 입사자 간 입장 차가 가장 크게 발생하기 때문에 그 간극을 좁히기 위해 본인을 어필하고 조율해야 하는 부분입니다. 인사팀은 회사의 예산과 정책에 따라 연봉을 조정하려는 경향이 있을 수 있습니다. 그들은 종종 경력이나 연봉을 낮추려는 입장을 취할 수 있으며, 이는 회사의 이익을 고려하는 것일 수도 있어요.

연봉 협상에서 더 많은 보상을 받으려는 것은 대부분 직장인의 희망 사항입니다. 좋은 대우를 받기 위해서는 근거 있는 요구를 제시하는 것이 올바른 접근 방식이죠. 연봉 협상에서 자신의 역량과 성과를 강조하고, 산업 표준이나 해당 직무의 평균 연봉 수준을 참고하여 합리적인 요구를 제시하는 것이 중요합니다.

경력직의 경우 전문 계약직으로 계약하는 경우가 많은데 이직 시점이나 경력에 따라서 정규직으로 전환될 수 있는 가능성을 고려할 수 있습니다. 전환 가능성이 있다면 정규직 전환할 때 연봉 협상의 기회가 생길 수 있으므로 그 가능성을 염두에 두는 것도 좋은 방법입니다. 요약하자면, 연봉 협상에서 자신의 역량과 실적을 강조하고 합리적인 요구를 제시하는 것이 중요하며, 자기 경력과 기술에 상응하는 보상을 받을 수 있는 가능성을 고려하는 것이 좋습니다.

• 이직러에게 조언을 해준다면?

연봉과 직급은 이직 과정에서 중요한 요소이며 개인이 자신의 가치를 인정받고 합리적인 보상을 받는 데 영향을 미칩니다. 국내 대기업, 특히 금융권의 경우에는 공채 진행이 일반적인 프로세스이고 생각보다 상당히 보수적인 경향이 있습니다. 이는 승진이나 평가에 대한 적극적인 지원이나 개인의 성장을 위한 투자가 부족할 수 있음을 의미할 수도 있습니다.

이러한 상황에서는 자신의 가치를 높이고 합리적인 보상을 받기 위해 여러 가지 사항을 고려해 볼 필요가 있어요. 먼저 자기 경험, 기술, 성과 등을 정확하게 인식하고 객관적인 자기 분석을 통해 자신의 가치를 판단합니다. 이를 바탕으로 이직 시에 합리적인 요구를 할 수 있습니다. 둘째로 산업의 트렌드, 해당 직무의 평균 연봉 수준, 경력에 따른 보상 수준 등을 조사하여 자신의 요구가 타당한지 확인합니다. 이를 통해 현실적인 목표를 설정할 수 있습니다.

셋째로 주변 지인, 선배, 동료 등과 소통하고 정보를 공유하여 다양한 시각을 얻을 수 있습니다. 이를 통해 회사의 문화, 보상 체계, 승진 기회 등에 대한 정보를 얻고 자신의 이직 전략을 세울 수 있습니다. 넷째로 이직 시에 자신이 가지고 있는 기술과 성과를 강조하여 회사에 기여할 수 있는 가치를 강조합니다. 이는 연봉 협상에서 유리한 입장을 형성할 수 있습니다.

특히 이직을 고려할 때는 단순히 연봉과 직급만이 아니라, 회사의 문화, 업무 환경, 개인의 성장 가능성 등을 다각도로 고려해야 합니다. 무엇보다 자신에게 맞는 조직과 직무를 선택하는 것이 중요하죠. 기업의 문화와 가치는 직무만큼 중요합니다. 본인과 기업의 가치관이 부합하고, 업무에 만족감을 느낄 수 있는 환경을 찾는 것이 중요합니다. 일하는 동안 보상뿐만 아니라 만족도와 행복감을 얻을 수 있는 조직을 선택하는 것이 좋습니다.

연봉과 직급뿐만 아니라 개인의 워라밸 역시 고려해야 합니다. 업무의 부담과 야근 등이 개인의 삶에 미치는 영향을 고려하여 조정할 필요가 있습니다. 자신의 가치와 목표에 맞는 균형을 찾는 것도 중요합니다. 회사에서 제공하는 교육 및 개발 프로그램, 승진 기회, 새로운 도전과 프로젝트 참여 등이 개인의 성장을 위한 요소라고 볼 수 있습니다. 단기적인 이익뿐만 아니라 장기적인 비전과 목표를 고려해서 개인이 성장하고 발전할 수 있는 환경과 기회를 제공해 주는 기업을 선택하는 것을 추천해 드립니다.

그리고 각각의 상황과 우선순위에 따라 결정을 내리는 것이 중요합니다. 연봉과 직급은 중요하지만, 기업의 문화, 성장 기회, 개인의 만족도 등을 평가하여 자기 경력과 성장에 도움이 되는 선택을 하는 것이 바람직합니다.

입사가 결정되고 마지막으로 연봉을 협상할 때 인사팀과의 조율은 매우 중요합니다. 각 회사의 보상 체계와 직급 구조에 대한 이해가 필요하며 이를 통해 합리적인 연봉 및 직급 협상을 할 수 있습니다. 인사팀과 대화와 협상을 통해 자신의 가치를 인정받고 합리적인 보상을 받을 수 있습니다. 인사팀과의 대화를 통해 자신의 요구사항을 제시하고, 인사정책을 명확히 이해한 뒤에 결정을 내리는 것이 좋습니다. 개인의 커리어 발전과 만족도를 최대한 고려하고, 리스크를 줄이는 방향으로 이직 결정을 내리는 것이 중요합니다.

회사의 보상 체계가 공정하지 않거나 경력직을 제대로 인정하지 않는 상황이라면, 신중하게 판단해야 합니다. 절대적인 상황이 아니라면 회사 선택 시에는 이러한 부분을 고려하여야 합니다. 자신의 노력과 경력을 인정해 주고 성장 기회를 제공하는 기업을 찾는 것이 중요합니다.

이직은 급하게 결정하는 것보다 충분한 심사숙고와 준비를 거쳐야 합니다. 반드시 입사 전에 조급함을 버리고 신중하고 철저한 검토가 필요합니다. 새로운 기업에서 발생할 수 있는 리스크와 불만 요소를 고려하여 최적의 결정을 내릴 수 있도록 하세요.

제5화 인정받지 못한 자 떠나라

안녕하세요. 저는 대기업의 IT 계열사에서 개발자로 첫 직장을 다닌 후 10년 동안 SM(System Management) 개발자로 근무했습니다. 그동안 야근도 많았지만, 개발을 배우는 시기라고 생각하며 견딜 수 있었습니다. 10년 전과 비교해도 개발자의 대우가 좋아진 시기는 아니었지만, 연봉을 주요한 요소로 생각하고 제가 할 수 있는 분야에서 최대한 연봉을 많이 받을 수 있는 곳을 찾아 금융권 IT 개발 부서로 이직했습니다. 그 당시에는 야근이 당연한 상황이었지만, 서서히 사회가 좋아지면서 주 52시간 근무 제도가 적용되고 야근 수당도 받을 수 있게 되었습니다. 업무 환경은 10년 전과 비교해서 매우 좋아진 편이죠.

하지만 이직 후에는 진급이 누락되어 승진을 포

기하게 되었고, 결혼 시기와 겹쳐 결혼 준비와 승진 준비를 동시에 진행하기가 어려웠습니다. 승진 누락이 두 차례 되자 이직할 계기가 충분했던 것 같습니다. 그래서 다른 회사의 공고를 보고 지원하게 되었고, 이직을 결심했습니다. 현재는 더 이상 개발을 하지 않고 기획 업무를 담당하고 있는데, 직무에 대한 만족도, 워라밸, 연봉 등 모두 만족하고 있습니다.

지금 돌이켜 생각해 보면 조직 문화를 바꿀 수는 없다는 사실을 너무 늦게 깨달았어요. 그래서 회사에서 떠날 때 동료들과 선배, 상사 등 사람들이 좋아서 아쉬웠고, 그때는 조직이 달라질 것이라고 착각했습니다. 그러나 이직하고 나서 연봉이 상승하니까 더 열심히 일할 열정이 생기더군요.

저는 생각보다 나이도 많아서 이직 당시에 40대에 들어섰고 정년이 어느 정도 보장되고 보수적인 금융권으로 가고 싶었어요. 금융권이 대체로 연봉도 높고 정년이 길어서 역 피라미드 구조가 심한 회사들이 많이 있잖아요. 저도 이제 그들 틈에서 버티면서 차라리 타사로 이직하면서 승진하는 것이 더 빠를 것이라고 마음먹었어요. 물론 직무를 유지하며 일하는 것이지요. 특히 경력직으로 입사해서 공채들에게 밀리는 경우가 많기 때문에 더더욱 그런 생각이 들었어요. 어렸을 때는 인사팀에게 요구를 제대로 못 했는데, 한 번 요구하고 두 번 요구하니까 이건 생존과 직결된 문제라고 깨달았어요. 그래서 처음에는 어려웠지만, 두 번은 어렵지 않다고 생각하고 당당하게 요구했던 것 같아요.

• 이직러에게 조언을 해준다면?

이직할 때 팁을 드린다면 절대로 인사팀에서 제안하는 내용에 쉽게 승낙하지 말라는 것입니다. 인사팀은 보통 최소한의 연봉을 제시하는 경향이 있어요. 처음 이직할 때는 인사팀의 제시를 그대로 받아들였지만, 두 번째 이직할 때는 그렇지 않았고 계속 협상을 진행했어요. 연봉과 직급을 낮추려는 인사팀들이 꽤 많다는 걸 알게 되었거든요. 그래서 이직러 입장에서는 자신의 역량에 맞는 대우를 요구하는 것이 맞다고 생각해요.

저도 아이가 태어나고 가장이 되면서 다시 이직을 준비하는 것이 한계가 있다고 느끼고 있지만 안정성도 무시할 수 없는 측면이 있어요. 앞으로 이직을 고려한다면 금융권으로의 이직을 생각하고 있으며 증권, 은행, 보험 등 다양한 영역에 관심 가지고 있어요. 40대 이후에는 이동이 쉽지 않을 것으로 예상되기 때문에 신중하게 결정하고 있습니다.

저는 개발자로서 리더가 되는 것보다는 제가 하는 일에 대해서 존중해 주는 회사에서 일하는 것을 목표로 이직을 준비했습니다. 본인이 느끼기에 적합한 대우를 해주지 않는다고 생각이 드는 회사라면 빠르게 이직하는 것을 추천해 드립니다. 이를 위해 꾸준한 이직 준비를 해야 한다고 말씀드리고 싶어요.

국내 대기업이나 금융권의 특성상, 원하지 않는 부서로의 순환 발령이 있을 수 있습니다. 또한, 경력직에도 인사 체계가 적용되는 회사들이 있으며, 이는 경력직 커리어에 치명적이고 불합리하다고 생각합니다. 이러한 문화는 대기업의 인사이동에 영향을 미칩니다. 경력직으로서 직무에 맞지 않는 영업 부서로 보내지는 경우를 직접 보고 듣고 많이 느꼈습니다. 인사팀은 임원 요청이나 팀장의 요청으로 인해 어쩔 수 없다고 주장할 수 있지만, 경력직 입장에서는 그러한 결정을 받아들이기 어렵습니다. 이러한 경우는 권고사직과 다름없죠.

이러한 상황에서는 버티는 사람이 살아남는다는 말을 해줄 수 있습니다. 하지만 저 같은 경우라면 노무사에게 도움을 청하고 퇴사 후 소송을 고려해볼 거 같습니다. 하지만 그 당시에는 직장인 괴롭힘에 관한 법도 시행되지 않았고, 호소할 만한 상황이 없었습니다. 조직 내 분위기도 신고하기가 어렵기 때문이죠. 재직하면서 조직에 대한 법적 대응을 하는 것은 현실적으로 어렵습니다. 누구도 그 소송에 이길 수 없을 뿐만 아니라 조직 내에서의 신뢰도와 존경을 잃을 가능성이 크기 때문입니다. 결국 퇴사하는 것과 마찬가지인 상황이 되는 거죠.

회사는 조직을 중요하게 여기는 데 반해 개인의 커리어와 같은 요소에는 큰 관심을 가지지 않는다는 것을 다시 한번 느꼈습니다. 조직은 단순히 업무가 원활히 진행되기만 하면 되는 것이죠.

저는 이러한 사례를 지켜보면서 모든 조직 생활을 하는 사람들이 대부분 이슈에 대해서는 방관자라고 생각해요. 저런 경우를 제가 당하더라도 그냥 받아들이고 일을 할 수밖에 없겠지요. 저희 팀에 한 팀원이 개발자임에도 불구하고 아무런 관련 없는 타 부서 발령을 받은 케이스를 보고 불안감이 생겼어요. 조직이 언제 어느 순간 조직원을 버리는 것은 문제도 아니겠다고 생각했죠.

보통 이직한 사람들 이야기를 들어보면 조직이 조직원을 이직하게 만드는 환경을 조성하는 경우가 많다고 말해주더라고요. 그런데 조직은 보통 경력직 입사자들이 자신의 조직에 적응을 못하고 퇴사하는 것뿐이라고 치부하죠. 이것이 인사팀과 경력직의 간극 차라고 생각합니다.

세 번째 직장에서 만족할 만큼은 아니지만 승진에 대한 보상과 연봉 상승을 보장하는 제안을 받아들여서 이직했어요. 하지만 두 번째 직장에서는 승진 대상자로 몇 년간 희망 고문을 당했어요. 도

저히 상식적으로 이해도 안 되고 납득도 안 되더라고요. 같은 조직에서 경력직 입사자 중 50% 이상이 2년 안에 그 조직을 떠났습니다. 조직도 절이 싫으면 중이 나가라는 기조였기에 떠날 수 있을 때 떠난 것이 맞다고 생각했어요.

본인 PR 시대라고 하지만 저는 '늘 겸손하라'는 말을 많이 듣고 자란 세대예요. 본인의 가치를 평가 저하하는 것에 대한 보상은 다음에 받으면 된다고 안일하게 생각했어요. 그렇게 두 번째 회사에 입사한 것이 너무 후회됩니다. 최근 몇 년간 제가 몸담은 디지털 조직의 변화가 많아지면서 수시로 조직 개편이 자주 변했습니다. 임원 교체, 팀장 교체, 심지어 팀 이름도 1년 사이에 3번이 변경되었습니다.

업무는 그대로 유지되었지만, 다른 팀으로 이동한 팀원들도 많았으나, 본인이 원해서 이루어진 경우는 거의 없었습니다. 그래서 탑다운(하향식) 인사 구조와 인사 발령에 대해 준비해야 했어요. 급격한 디지털 전환의 시대에 불안정한 조직이었기 때문에 불안감이 더 심했던 것 같습니다. 이러한 상황으로 역량을 인정해 주지 않으니, 조직원들이 불안감을 느끼면서 대탈출을 시작한 것 같습니다.

금융권에서는 이러한 구조가 심한 경우가 보통입니다. 최근에는 MZ세대의 퇴사가 증가하고 이직러의 대규모 이동과 파이어족이 많이 생기면서 조직도 이를 안정시키기 위해 노력을 시작했다고 봐요. 인사 구조 체계에 대한 변화 의지를 엿볼 수 있죠. 하지만 조직은 조직원 커리어를 생각보다 고려하지 않는다고 생각해요. 그래서 이직은 타이밍을 잘 활용해야 한다고 생각합니다. 이직할 때는 최대한 연봉을 높이고, 경력 직무나 본인의 역량을 어필하는 것이 주요한 팁이라고 할 수 있습니다.

제6화 7년 차 리크루트 현업 대기업으로

안녕하세요. 저는 30대 초반이고 첫 직장 생활을 서치펌(인재 소싱하는 헤드헌터 업체)에서 시작했어요. 생각보다 단기간에 많은 것을 배울 수 있었고 특히 인사 부분에서 인력 소싱, 면접 준비, 입사 진행, 입사 완료까지 다양한 업무를 수행했습니다. 한 2년 정도 일했을 무렵에 스위스 계열의 다른 서치펌에서 이직 기회를 얻었고, 헤드헌터 업계에만 있다 보니 연봉이 제가 생각한 것보다 낮고 안정성도 부족하다는 생각이 들었어요.

그러면서 인하우스로 이직하고자 했습니다. 중소기업 인사직무로 면접에서 제 헤드헌팅 경험을 강조했는데 입사하는 데 큰 도움을 받았습니다. 그 후로 C사(E-커머스) 인사팀에 이직하여 3년 동안 재직하면서 주로 아웃 바운드 채용 분야를 담당했습니다. 인사 직무를 계속하는 것이 전문성을 키울 수 있다고 생각했고, 그러면서 저의 역량을 발휘할 수 있다고 판단하여 이직을 결정했습니다.

제가 5년 사이에 3번 이직했지만, 아직 젊기에 이직 횟수가 많다고 해서 문제가 되지는 않는다고 생각했습니다. 조직원의 이직률이 높은 회사는 이직 횟수가 많은 면접자를 크게 문제 삼지 않는다고 느꼈어요. 그래서 회사 특성도 잘 살펴볼 필요가 있다고 생각해요. '사람마다(사람 바이 사람), 때에 따라(케이스 바이 케이스), 회사마다(회사 바이 회사) 다르다'고 해야 할까요? 저도 인사팀에 재직하면서 5개월마다 이직하는 사람들의 이직 사유를 듣게 되었는데, 케이스가 매우 다양합니다.

이직 후에 조직에 적응을 잘하지 못한 경우도 종종 있었고 집과 가까운 회사로 다시 이동하고 싶다는 사람들도 있었습니다. 하지만 이런 이유로 회사를 이직하는 것은 조금 위험할 수 있다고 생각합니다. 특히, 서치펌에서 사람을 리크루팅할 때 면접을 보면 이직의 동기가 부족해서 탈락하는 경우가 많이 있습니다. 그렇게 되면 리크루터는 서류를 통과해서 면접까지 봤는데 성과가 나오지 않았으니, 힘이 빠지게 됩니다. 면접을 가는 경우라면 본인이 이직을 원하는 목적을 명확하게 하는 것이 중요하다고 생각합니다.

최근 코로나-19 시기에 이직이 많이 발생했으며, 젊은 세대들의 대이동이라는 사회적인 추세로 볼 수 있습니다. 최근에는 비교적 젊은 나이의 사람들이 은퇴도 많이 하고 이직도 많이 하는 경향이 있습니다. MZ세대들은 더 이상 본인의 첫 회사가 평생직장이라고 생각하지 않습니다. 지속해서 이직하는 경향을 보이고 불합리한 상황과 환경, 대우 등에 참지 않고 바로 퇴사하는 경향이 있지요.

한 가지 말씀드리고 싶은 것은 2~3년 정도 재직 후 이직을 시도해 보시라는 거예요. 회사를 좀 더 이해하고 적응해 봐야 더 좋은 회사로 이직할 수 있다고 생각해요. 본인의 가치를 증명하는 방법으로 이직을 하는 사람들이 많아지면서 이직을 자주 했다는 사실을 조직도 더 이상 나쁘게만 보지 않는 것 같습니다. 그러므로 이직하는 시기에 제한을 두지 않고 가능한 한 빠르게 이동하는 것이 커리어에 도움이 될 수 있다고 생각합니다. 최근의 이직 트렌드가 빠르게 변화하고 있으므로 이를 본인의 커리어에 맞게 적극적으로 활용하는 것이 좋을 것입니다.

저는 연봉도 중요하지만, 그렇게 높은 우선순위는 아니었어요. 최근에 네이버, 카카오, 라인(이하 네카라)으로 이직하여 연봉이 50% 상승했지만요. 그리고 첫 직장부터 워라밸은 좋았기 때문에 워라밸 부분은 이직할 때 크게 신경 쓰지 않았습니다. 이직하는 곳마다 워라밸이 그렇게 안 좋지는 않았습니다. 다만, 서치펌이나 외국계 회사의 경우는 복지가 좋지 않았기 때문에 현재 네카라로 이직하면서 이전의 회사와 비교했을 때 복지 측면에서 만족도가 큰 편이에요.

밖에서 보기에 혁신적이고 업계를 선도하는 회사라고 해도 직장인 모두가 백 퍼센트 만족할 수 없다고 생각합니다. 저도 네카라에 들어와 보니 아쉬운 부분이 있습니다. 다른 대기업과 비교할 수 없겠지만요. 저는 문과 베이스 전공자로 시작하여 서치펌에서 인사 업무를 시작하면서 점차 인사 분야로 직무를 확장했습니다. 짧은 기간에 여러 회사를 이직했지만, 향후에 인사 관련 사업을 하고자 합니다. 또 최근 주목받고 있는 스타트업 투자와 VC 심사 업무에도 관심이 있습니다. 현재 30대 초반이라 다양한 가능성을 열어두고 있습니다.

• 이직러에게 조언을 해준다면?

저는 제가 언급한 내용이 모든 회사나 모든 직장인에게 적용되는 법칙은 아니라는 점을 말씀드리고 싶어요. 4차 산업혁명이라고 해서 대한민국 회사가 모두 혁신적으로 변하기는 어렵습니다. 대부분 대기업은 디지털 전환을 시도하고 있지만 그것도 쉬운 일이 아닙니다. 요즘 MZ세대들은 젊고 트렌디한 업무 스타일을 선호하는 것을 알고 있지만 제가 속한 조직이 변할 거라고 생각하는 것은 큰 착각일 수 있습니다. 즉, 각자의 성향과 가치관에 맞는 회사를 선택하는 것이 중요하다고 생각합니다.

보수적인 회사에 다니는 대다수 분들이 불만이

많은 경향이 있습니다. 불만은 잠시 접어두고 오랫동안 그 기업에서 생존한 선배한테 삶의 지혜와 사회생활 등 본인이 배울 수 있는 점을 찾아보라고 말씀드리고 싶어요. 혁신적인 회사에 다니는 분들도 수평적인 조직 문화가 본인에게 편할 수도 있지만 그 회사 안에서도 고충이 충분히 존재한다고 봅니다. 회사마다 본인의 업무에 제한된 점이 생긴다면 아쉬운 점이 있을 수 있습니다.

저는 본인 성향과 목표에 부합하는 회사를 찾아 선택하는 것이 중요하다고 말씀드리고 싶어요. 어떤 회사가 본인에게 적합한지를 다시 한번 고려하여 선택하라고 하고 싶습니다. 회사에 대한 판단은 본인 스스로 해야 하고 보수와 혁신적인 표현 또한 저의 견해일 뿐입니다. 각자 개인적인 상황에 따라서 본인이 체감하는 느낌은 또 다를 수 있어요. 따라서 본인의 성향을 파악하고 본인이 선택한 회사에 입사했다면 그 이후는 본인 스스로 역량을 만들어 가시라고 말씀드리고 싶습니다.

제7화 10년 차 대기업에서 스타트업으로

안녕하세요. 저는 대학원을 졸업한 후 M사에서 10년간 근무한 경험이 있고 현재 스타트업으로 이직한 사례입니다. 스타트업으로의 이직을 결정할 때는 여러 가지 사항을 고려했지만, 주된 이유는 업무의 확장성과 일의 재미였습니다. 저는 자기 계발을 가장 우선시할 수 있는 장소에서 일하고 싶었습니다. 대기업에서 10년 차로 일할 때는 제약이 있고 반복적인 일이 많았기 때문에, 더 많이 배울 수 있는 회사에서 일하고 싶었습니다. 또한, 저는 해야 하는 일을 열심히 하는 성향이 있어서 그런 일을 해야만 했다는 마음가짐도 있었습니다.

워라밸은 저에게 있어서 가장 중요한 요소는 아니었습니다. 중요한 것은 업무에 열심히 임하는 것이었습니다. 제가 M모터스에 입사했을 때 학사를 졸업한 선배가 승진을 해야만 제 차례가 돌아오는 상황이었고, 이러한 상황을 받아들이기는 힘들었습니다. 제가 그 선배보다 먼저 승진해야 한다는 것이 아니라, 승진 평가에 일정한 순서가 정해져 있다는 것을 느꼈고, 제가 파트장이나 조직장이 되기까지는 긴 시간이 걸릴 것 같다는 생각이 들었습니다. 그래서 40대 중후반이 되어서도 저에게 기회가 올 지에 대한 불안감이 생기게 되었어요. 그러면서 이직을 고려하게 되었습니다. 이러한 이유가 이직 준비를 시작한 가장 큰 이유였습니다.

운이 좋게도 사원에서 대리, 과장까지 적절한 시기에 승진하게 되었지만, 조직장이 되는 것은 상당히 힘든 일임을 직감했습니다. 그 시기에 저는 안주하기보다 도전해야 한다고 생각하며 많은 고민을 했습니다. 헤드헌터들이 저에게 많은 제안을 해주었고, 저도 자발적으로 많은 곳에 지원했습니다. 이후 무수히 많은 면접을 보았는데, 가장 불안한 시점에서 움직여야 할지 많은 고민했습니다. 그런데도 도전해야 한다고 생각했고, 아내와도 많은 논의를 했어요. 제가 퇴사를 알리자, 현 회사에서는 해외 주재원을 제안해 주었고, 이에 대해 많이 고민하게 되었습니다. 지금 생각해 보면 좋은 기회였다고 확신합니다. 아이들이 점점 교육에 더 중요한 시기에 접어들고 있어서 해외 주재원이 조금 아쉬웠습니다.

그러나 저는 맞벌이를 하고 있었고, 현재 아내가 회사에서 인정받는 시기였으며, 연봉도 저보다 높았기 때문에, 부인의 의견을 무시하고 혼자만 해외 주재원으로 떠날 수는 없었습니다. 육아도 병행해야 했고, 아직 함께해야 할 일이 많았기 때문이었죠. 현재도 아내가 직급과 연봉에서 더 높은 위치에 있었기에 경제적으로 부담을 좀 내려놓았어요. 제가 스타트업으로 이직하는 것이 생계에 큰 영향은 주지 않을 거라는 생각이 든 것이죠. 스타트업으로 이직하는 결정을 내리는 것에는 아내의 경제적인 지원이 있었기 때문이고, 그것이 제가 스타트업으로 도전할 수 있는 계기가 된 것은 사실입니다.

다른 분들과는 다르게 스타트업으로 이직할 수 있었던 배경이 있기도 했지만, 현재 상황에서 코로나-19를 경험하면서 스타트업으로의 이직은 매우 만족스러웠습니다. 때로는 왜 이렇게 다양한 일을 시키는 건지 의문을 가졌는데 스타트업 특성상 다양한 경험을 쌓을 기회를 주는 것으로 생각하고 더욱 만족하며 일하고 있습니다. 대기업에서는 본인 업무에만 집중하다 보니 업무가 한정적이었죠. 하지만 스타트업에서는 짧은 시간 내에 여러 직무를 배울 수 있어 저의 커리어 발전에도 좋은 영향을 미쳤습니다.

현재도 헤드헌터를 통해 다른 스타트업에서 팀장급으로의 스카우트 제안을 많이 받고 있으며, 앞으로는 임원급으로 이직을 하기 위해 더 많은 경력을 쌓으려고 합니다. 경제가 어려울수록 스타트업 분야에서 좋은 제안이 오는 경향이 있으며, 현재의 회사에서도 사업 수주로 인해 팀이 확장되고 있기 때문에 이직에 대한 생각은 없고, 오히려 더 많은 것을 배우고 기술 영역에서 직무를 확장하고 싶습니다.

두 번째로 고려했던 점은 연봉인데, 제 연봉이 20% 정도 상승한다면 이직을 고려해 볼 의사가 있었어요. 현재도 여전히 연봉을 상승할 수 있는 회사로 이직할 생각이 있습니다.

영업 업무를 수행하다 보니 사람 간의 스트레스 관리에 어려움을 겪는 부분이 있습니다. 이는 저의 역량을 계속 키워야 할 부분이라고 생각합니다. 저는 앞으로 직무를 확장하여 직급을 높여 임원이 되는 것을 목표로 커리어를 만들어 가고 있습니다. 요즘 MZ세대들은 직장활보다 창업을 준비하여 본인의 사업을 하거나 프리랜서 일을 추구하는 경향이 강조되지만 저는 80년대생이다 보니 보수적이고 전통적인 생각으로 임원까지 해보고 싶다는 막연한 목표를 가지고 있어요.

• 본인의 KICK이 있다면?

저는 개발자로 시작하지는 않았지만, 대기업에서 프로젝트 매니저 역할을 수행한 경험이 있고, 스타트업에서는 영업과 프로젝트 매니저 역할 등 다양한 업무를 종합적으로 수행하고 있습니다. 결국 제가 자동차 업계에 오래 재직했고 스타트업이라고 해도 동종산업으로 이직했기 때문에 강점을 살릴 수 있었다고 생각해요. 현재도 이전에 다녔던 회사와 연락도 하고 심지어 제휴 업무도 체결해서 스타트업에서 인정받고 있습니다.

경력직으로 이직하는 경우에는 이유가 어떻게 되든 현재 가지고 있는 직무 베이스로 이직해야 하므로 직무 관리를 잘하고 있어야 한다고 말씀드리고 싶어요. 그래야 정말 원하든 원치 않든 이직하게 된 경우에 적합한 직무에 맞는 자리를 빠르게 찾아볼 수가 있습니다.

지금도 페이스북으로 많은 이직 제의가 들어오고 있어요. 아무래도 저 정도의 경력이 필요한 곳은 많은데 대부분 대기업 친구는 이직하는 것을 두려워하거든요. 저는 계속해서 저의 가치를 높이기 위해서 현재 저의 가치를 알고 싶어서 헤드헌터를 통해 종종 확인해 보기도 합니다.

- 이직러에게 조언을 해준다면?

만약 이직을 고려하는 사람들에게 조언한다면, 본인이 원하는 일을 하고 즐거움을 찾아야 한다고 말씀드리고 싶습니다. 제가 20대 때 왜 창업을 하지 않았을까 하는 생각을 하게 되는 세대가 된 것 같습니다. 약간의 미련은 남았지만, 그 당시로 돌아가면 그런 선택은 하지 못했을 거 같습니다. 아내가 사업을 싫어했고, 저도 확신이 없었습니다.

20, 30대에게는 실패하더라도 젊은 시절에 도전해 보라고 말하고 싶습니다. 그렇게 하면 후회와 미련이 없을 것입니다. 이는 이직과는 조금 다른 얘기지만, 본인이 원하는 일과 원하는 대우를 받기 위해 이직해야 한다고 생각합니다. 이를 잘 실현하기 위해서는 왜 이직하고 싶은지에 대한 깊은 고민을 한 뒤 이직해야 한다고 생각합니다.

요즘은 이직이 많이 일어나는 채용 시장 환경이기 때문에 많은 사람들이 이직하는 것이 일상이 되었습니다. 저도 한 번 이직해 보고 나서는 두 번째 이직은 쉬울 것이라는 생각을 하게 되었습니다. 이는 직장인으로서 자신의 역량을 제대로 인정받고 싶은 욕구라고 생각합니다. 심지어 베이비시터도 옆집에서 조금 더 비용을 주면 즉시 그만두고 옮기는 세상이니까요. 이를 보면 회사들도 인재를 관리하기 위해 적절한 대우와 보상, 승진, 평가를 해야 한다고 생각합니다.

제가 대기업에서 파트장이 될 가능성이 매우 희박하다고 느꼈을 때 사내 벤처 프로그램과 학위 과정 지원을 하려고 했습니다. 그러나 그 당시에는 지금처럼 스타트업이 활성화되어 있지도 않았고, 특히 사내 벤처 지원은 팀장과 팀원들의 눈치를 많이 보면서 진행해야 했어요. '왜 너는 네 본업의 일을 안 하고 딴짓하느냐'고 핀잔도 받았고요. 이러한 조직 분위기가 이직을 결심하는 계기가 되었습니다.

저는 공채 출신이지만 선입사, 선승진 절차가 매우 타당하지 않다고 생각하거든요. 조직에서는 누가 뛰어난지를 제대로 평가하지 못하고 선입사 승진 문화 때문에 선입사자들을 먼저 승진되는 구조죠. 제가 언제 조직장이 될지 불분명한 상황이라는 생각이 들면서 이제 회사에서 도전할 수 있는 나이가 지나갔다는 것을 깨달았습니다.

조직의 구조에 여러 가지 문제가 있다고 생각했지만 그렇다고 해서 조직에서 저를 어필할 수 있는 것도 아닙니다. 보통 조직장은 '너만 뛰어나냐, 다른 팀원도 다 비슷하다'라고 생각하기 때문이에요. 역량은 다 똑같은데 누가 조직장과 친분이 좋은가가 더 중요한 구조가 부당한 것보다도 전 제 승진 순서가 너무 늦은 구조에서는 벗어나야 한다고 생각했어요.

저는 이러한 상황을 해결하기 위해 고민 끝에 이직을 결정한 것입니다. 이직에는 다양한 사례가 있을 수 있지만, 대부분 직장인이 이직을 선택하는 이유는 부당하다고 생각하는 상황에 부닥치고 퇴사를 결심할 수밖에 없는 경우일 때가 많다고 생각합니다. 국내 대기업에서 근무하는 사람들에게 언제든 닥칠 수 있는 상황이라고 생각해요. 저는 그 시점이 일찍 왔던 거 같습니다.

저는 이직함으로써 제 상황을 잘 극복한 것 같습니다. 한 회사에 오랜 기간 동안 머무르는 분들이 도전정신이 없다는 의미는 전혀 아닙니다. 그런 분들은 본업도 충실히 하고 퇴근 후에도 부동산이나 주식 공부를 비롯한 자기 계발에 힘쓰는 경우를 많이 보았습니다. 각자 자신의 상황에 맞게 이직을 선택한다고 보면 됩니다. 만약에 제가 외벌이로 아내가 회사에 재직하지 않고 전업주부였다면 스타트업으로 이직하는 대신 해외 주재원을 갔을 것입니다. 주재원에 가면서 회사에 더 오래 다녔을 수도 있어요. 각자 상황에 맞게 선택한 후 그 선택에 대한 책임은 늘 본인의 몫임을 알아야 합니다.

제8화 불안정한 직장 환경에서 떠나라

안녕하세요. 저는 전기전자 전공으로 첫 직장으로 OLED 연구소에서 근무했습니다. 회사는 만족스러웠지만, 연구를 계속하는 것은 제 성향과는 잘 맞지 않았습니다. 그래서 저는 퇴사 후 산업공학과로 대학원에 진학했습니다. 대학원에서 금융공학을 세부 전공으로 선택했는데, 대학 시절에 투자 동아리를 했을 때가 기억나며 금융공학이 적성에 잘 맞았습니다.

대학원 졸업 후 전공을 살려서 금융권으로 입사했습니다. 제 전공은 전문분야로 업계에서도 직무 희소성이 있어 이직에 도움을 받았습니다. 대학에서 전공한 공학적인 관점을 통해 금융공학 업무를 하면서 모델링 설계 부분에서 자신감을 느꼈고 앞으로도 계속 직무를 발전시키고 싶다는 생각을 했어요.

하지만 재직하고 있는 회사의 재무제표를 보면 회사가 불안정하다는 생각이 들었어요. 상황이 조금 어려운 부분이 발생할 거 같다는 생각도 들었고 임원급 변동이 심해 리스크가 크다는 생각이 들었어요. 그러면서 규모가 있고 안정적인 재무구조인 회사로 다시 이직하게 되었습니다.

전자 분야에서 금융으로 전향했지만, 금융권에서 직무를 확장하고자 했습니다. 현재 연봉이나 워라밸에 대해서는 만족하고 있기 때문에, 제가 가장 고려한 부분은 사람 관계입니다. 동료들과 함께 으쌰으쌰 하는 분위기가 있으면 좋겠다고 생각했어요. 하지만 이는 제가 실제로 그 회사에 가지 않는 이상 알 수 없기 때문에 리스크가 큰 부분이죠.

금융권은 연봉이 다른 업계에 비해 높은 편이기도 했지만, 저는 연봉을 주요한 이직의 기준으로 삼지 않았어요. 입사 후 앞으로 승진과 평가가 제대로 이뤄지는가 중요했지요. 금융권은 직무 순환이 심해 이직하는 사람들을 종종 보았기 때문에 앞으로 어떻게 될지 모른다고 생각했습니다.

이직을 꿈꾸는 분들에게 꼭 하고 싶은 말이 있다면 지속해서 이직을 준비하고 실행하라는 것입니다. 금융권 외에도 회사는 조직 개편이 생각지도 못하게 이뤄질 수 있어요. 그러면서 조직이 변경되고 조직장이 바뀌면 직무도 변경될 수 있어요. 특히 경력직인 경우, 조직 개편이 발생하면 빠르게 이직해야 하는 상황이 올 수도 있다고 생각해요. 조직이 개편될 때 조직원의 커리어를 챙겨주고 존중해 주는 곳은 드물다고 봅니다. 개인적인 경험으로는 조직에서 사람들을 부품처럼 취급하고 필요에 따라 인력을 대체하는 경우가 많아서 경력직이라고 해도 엉뚱한 부서로 발령될 수도 있어요. 그렇기 때문에 언제나 대비해야 합니다. 조직은 비전과 목표에 따라 시시각각 움직인다고 보면 됩니다.

• 본인의 KICK이 있다면?

저는 자연 계열 학부를 나오고 석사는 금융공학을 졸업했기 때문에 아무래도 강점이 있다고 생각합니다. 이과 계열에서 금융공학 강점을 살려 이직하기를 원해서 석사를 금융공학으로 전공한 것도 있지만요. 그리고 연구하는 것도 좋지만 숫자를 다루는 일이 저한테 적성에 더 맞는다고 생각해서 석사 때 전공을 변경한 것이 취업하는 데 도움이 많이 되었어요.

지금은 금융공학 전공을 활용해서 미래 예측 모형을 설계하고 미래 예측 관련하여 연구하고 있는데, 직무가 잘 맞아서 직무에 만족감이 커요. 요즘은 대학 졸업하고 바로 대학원을 가는 경우도 있는데, 저는 첫 직장을 다니고 나서 저의 적성을 찾아보고 대학원 진학을 한 경우입니다. 이렇게 되면 사회생활을 시작해 보고 전공에 대한 현실을 깨닫게 되는 경우가 있거든요. 그러한 점을 잘 생각해 보라고 말씀드리고 싶어요. 직장 중에 대학 전공을 살려서 직무를 하는 사람이 몇이나 있겠냐마는 공채 입사가 아니라 경력직으로 입사하는 경우는 전공이 알게 모르게 큰 도움을 준다고 생각합니다. 그래서 저는 전공과 직무가 80퍼센트는 차지한다고 생각해요. 전공을 살려서 직무를 수행하면 전문성을 계속 키울 수 있고 본인 몸값을 올리는 데 확실한 KICK이 될 수 있다고 생각합니다.

• 이직러에게 조언을 해준다면?

저는 항상 이직을 준비하고, 시간이 나면 틈틈이 사람인, 잡코리아 등 채용 정보를 찾아보고 지원하라고 권해드리고 싶어요. 현재 구직 시장이 어떤 흐름을 가졌는지 파악하기가 쉽고 업계의 흐름과 동향을 체크하는 데 많은 도움을 받을 수 있으며 그러다 보면 기회를 잡을 수 있습니다.

지금은 회사에 만족하고 다닌다고 하지만 다시 이직을 고려한다면 다른 금융사로 이직하고 싶거든요. 끊임없이 공고를 보고 있고 저는 헤드헌터보다 직접 홈페이지로 지원하는 것을 선호하기 때문에 앞으로도 채용 공고를 찾아보고자 합니다. 크게 상반기와 하반기 신입 공채를 뽑을 때는 3월, 9월 이렇게 정해져 있는 달이 있지만 경력직의 경우는 수시로 공고가 올라오기 때문에 늘 Keep Looking하라고 말씀드리고 싶어요.

친구나 동기들을 보면 소리 소문 없이 이직한 케이스를 종종 볼 수 있어요. 어떻게 이직했는지 들어보면 보통 운이 좋았다고 하더라고요. 하지만 헤드헌터를 이용한 경우가 아니라면 본인이 관심을 가지고 수시로 체크하고 있었죠. 경력직은 수시로 공고가 뜨기 때문에 매일 찾아보는 사람들이 지원하게 되죠. 생각보다 수시로 지원하는 사람이 없으면 경쟁자가 그만큼 줄어드니, 본인을 어필할 기회가 오는 거죠. 물론 본인도 준비를 많이 했다고 봐요. 이런 상황이 맞아떨어지게 되면 운 좋게 본인이 원하는 회사로 이직하는 것이죠.

무엇보다 이직하기 전에 현 직장 대비 연봉 상승 비율을 꼼꼼히 확인하는 것을 강조하고 싶어요. 보통 경력직의 경우 이직을 서두르면서 계약서에 서명을 빨리하는 경향이 있어요. 기분이 들뜰 수도 있지만 차근차근 근로계약서의 기본급과 성과급이 몇 퍼센트가 나오는지 사전에 그 회사에 다니고 있는 지인을 통해서 확인해 보라고 말씀드리고 싶네요. 지인이 없다고 하면 커피챗 같은 애플리케이션을 이용해서라도 재직 중인 사람들과 채팅할 기회를 만들어서 그 회사 분위기를 한번 체크해 보세요.

조직에서도 경력직을 뽑을 때는 현재 공채의 직급이나 연차를 고려해서 인재 영입을 제안하는 경우도 있지만 막상 입사하고 보니 공채보다 더 안 좋은 대우를 받는 경우가 많거든요. 그러는 의미로 현 지장보다 직급을 꼭 높여서 이직을 준비하라고 다시 한번 말씀드리고 싶습니다. 어차피 승진을 현 직장에서 하나 이직해서 하나 똑같다고 생각할 수 있는데 대기업 구조상 승진이 생각보다 쉽지 않아요. 입사하고 나면 인사팀은 이미 채용된 사람을 챙기지 않거든요. 입사 전에 현 직장에서 승진하고 그 직급으로 혹은 한 단계 업그레이드해서 이직하면 좋아요. 기업의 승진 제도와 직급 체계는 꼭 확인하고 움직이시라고 강조하고 싶습니다.

제9화 아니다 싶으면 바로 떠나라

안녕하세요. 저는 4번 정도 이직하여 30대 중반에 대기업에 입사했습니다. 이번 이직을 마지막이라고 생각하고 이동했지만, 예상보다 정착하기 어려웠습니다. 첫 직장 생활을 20대 후반에 시작한 점은 대기업 공채들과 비교하면 조금 늦게 시작했다고 볼 수 있습니다. 저는 중소기업으로 첫 사회생활을 시작했고 4번 정도 이직했습니다. 거의 매해 이직을 준비하고 이동했다고 볼 수 있죠.

저는 처음에 컨설팅회사에서 IT 컨설턴트로 업무를 시작했습니다. 컨설팅의 야근 문화가 너무 힘들었지만 젊었기에 가능했습니다. 2년 정도 일을 하고 컨설팅으로는 다시 이직하지 않으려고 했어요. 그러다가 지인 소개로 VC 업계로 이직하게 되었어요. 스타트업을 발굴해서 투자하는 회사였는데 저는 스타트업을 발굴하고 기투자한 회사를 사후 관리하는 업무를 담당했어요. 그러면서 스타트업 대표님들과 VC 업계 네트워킹을 할 수 있는 기회가 생겼습니다. 그래서 투자 업계에 있으면서 창업 관련 교육과 프로그램을 많이 알게 되었고 배울 수 있었죠. 그 이후에 3, 4번째도 VC 업계에서 투자 업무를 했는데 VC 업계가 생각보다 불안정하다고 느끼게 되어서 30대 중반에 대기업 CVC 경력직으로 입사했어요.

대기업에 입사했을 때는 안정적이라고 생각해서 50세까지 다녀야겠다고 생각했습니다. 그러나 회사의 직장 환경과 문화는 이전 회사하고 완전히 달랐어요. VC 업계는 팀원도 적었고 딜 발굴을 위해 팀원과 외근이 많았고 팀원들과 산업분석이나 딜 소싱에 매진을 했는데, 대기업에서는 그러한 일이 매우 드물었어요. 하루 종일 사무실에 앉아 있는 날도 생기게 되면서 시간이 아깝다는 생각을 하게 되었어요. 이런 부분은 개인적인 고충이었지만, 경력직으로 입사하다 보니 회사 내의 소소한 일을 처리하는 것이 부담스럽다는 문제도 생겼습니다.

실제로 대기업 특유의 공채 절차와 보수적인 조직 문화가 있어서 적응에 어려움을 겪었습니다. 직무를 고려해서 입사했기에 업무적으로 어려운 것은 없었어요. 하지만 의외로 조직문화, 사람 관계가 힘든 부분이었습니다. 인트라넷 사용법 매뉴얼도 없어서 공채 출신 선후배한테 물어보면서 업무를 처리해야 했습니다. 그러다 보니 저도 모르게 눈치를 보게 되는 불편한 상황이 되었습니다.

회사의 문화나 관습에 따라 중간에 들어온 경력직에 대해 관대하지 않을 수도 있습니다. 회사에서 경험한 작은 부분에 불편한 점을 느끼게 되었고, 자존심이 상할 일도 많았어요. 이러한 일들은 그들 입장에서는 귀찮을 수도 있는 일이라 오히려 고맙게 생각해요. 하지만 구두로 전해오는 문화가 있다 보니 매번 문의하고 적응하는 것이 경력직인 저에게 가장 적응하기 어려웠어요.

이런 것은 소소한 문제이고 승진이나 평가 시즌이 도래하자 회사 특성상 적체 현상이 발생하고 있다고 전해 들었어요. 그리고 경력직으로 입사한 사람에게 특히 더 불공평한 대우를 한다는 느낌을 받았고, 조직장으로부터 몇 년째 승진이 안 되는 사람에게 평가를 밀어주어야 한다는 말을 들었죠. 이런 회사의 문화와 방침이 이해하기 어려웠습니다. 그러면서 저도 평가도 밀리고 승진도 저절로 밀리게 되었죠. 팀원의 상태에 따라 승진 대상자가 달라지기도 하고 조직장이 어떤 마인드인가에 따라 저의 승진이 달린 회사였어요. 그런 상황은 지금 생각해 봐도 어이가 없는 일이죠. 제가 입사 후 2년 동안 열정적으로 불태웠던 업무는 평가가 리셋되고 무용지물 되는 상황이 되었어요. 승진 차례가 안 되었기 때문이죠. 그러다 보니 제 경력에서 시간과 에너지가 아깝더라고요. 이런 상황을 알게 된 즉시 많은 경력직 입사자가 이직 준비를 하고 이직을 시도했어요. 저도 하루라도 빨리 이직을 준비하라고 말씀드리고 싶어요.

중소기업에서 대기업으로 이직할 때 회사 문화를 잘 알아보라고 말씀드리고 싶어요. 그 회사의 인사 체제나 문화를 바꿀 수 없기 때문에 뭔가 이상하다는 것을 감지했을 때 이직 준비를 빨리해서 나와야 한다는 결론을 내렸습니다.

• 본인의 KICK이 있다면?

저는 직장에서 자기 계발에 많은 노력을 기울여 왔습니다. 반복적인 업무를 수행하면서 시간이 생기게 되어 자격증을 많이 취득했어요. 업무 관련 자격증을 4개 이상 보유하고 있고 공인중개사 자격증도 준비하고 있습니다. 저는 4번의 이직을 하면서 직무 중심 이직이 중요하다고 생각하여 자격증 공부를 했고 경력직으로 이직할 때 자격증은 서류 통과에서 많은 도움을 받았습니다. 직장 동료 중에 공인중개사 준비하는 사람도 있고 노무사 자격증을 취득하고자 하는 사람도 있습니다. CPA나 CFA를 공부하는 사람들도 종종 볼 수 있고요.

저는 대학 졸업 후에 자격증에 매진하여 이미 전문 자격증을 취득하였고, 그렇게 전문 자격증을 취득한 분들이 많습니다. 회사에 다니고 있다면 퇴근 후에 자격증을 취득하는 것을 추천해 드려요. 친구 중 하나는 보험사에 신입으로 입사하여 계리사 준비를 하더라구요. 회사에서도 필요한 자격증이다 보니 역량 개발비 차원으로 물질적인 지원을 비롯하여 많은 지원을 해 주는 것을 보고 부러웠습니다. 재직하고 있는 회사나 업무에 도움이 되는 자격증을 취득한다면 굳이 이직을 목표로 하지 않아도 좋을 것 같다는 생각이 들어요.

저는 준비된 자만이 기회를 얻는다는 문구를 믿었습니다. 늘 준비를 하고 있어야 마음이 놓이는 성격이기도 하고요. 도움이 되는 자격증을 꼭 공부하라고 말씀드리고 싶고 그러다 보면 업무 역량도 높이게 되고 현재 회사에서도 역량을 인정받을 수도 있으며 이직도 더 잘 될 가능성이 커지겠지요.

현재 이직 후 4년이 지났지만, 아직도 수십 번의 면접을 가고 이직을 시도하고 있습니다. 하지만 쉽지 않네요. 제가 꼭 전달하고 싶은 말은 이직도 타이밍이 중요하다는 거예요. 지금 망설이지 마시고 이직을 준비하여 빠르게 탈출할 것을 권해드리고 싶습니다.

- 이직러에게 조언을 해준다면?

무조건 이 회사는 아니라고 느낄 때는 빠르게

준비를 시작하는 것이 좋습니다. 제 직무가 물경력이구나 느끼는 순간부터 이직을 준비하세요. 특히 국내 채용 시장에서는 나이가 굉장히 중요하다는 생각이 들어요. 성별을 떠나서 20대에서 30대는 별로 영향이 없을 수도 있지만 30대에서 40대로 앞자리가 바뀌는 시점은 이직할 때 확실히 체감상 다르거든요. 한살이라도 어릴 때 이직을 준비하는 것이 유리하고 연봉 상승의 기회도 많습니다. 이에 대비하여 준비를 철저히 하고, 당당한 자신감을 갖추도록 노력하세요.

잘못된 이직 선택으로 인해 커리어가 나락으로 떨어질 수도 있어요. 이직은 모든 것에서 정신력 싸움이라고 생각해요. 현재 즐겁게 회사를 다니지만, 직장에서 직무에 대한 불만족과 구조에 대한 불만족을 표출하다 보면 현타가 자주 오거든요. 그럴 때는 회사가 단순히 점심을 먹으러 오는 곳이라는 생각으로 정신을 가다듬고 더더욱 이직을 준비해야 합니다.

시간이 아까운 매우 슬픈 현실이지만 어쩔 수 없이 현실을 마주하고 월급은 꼭 사수하라고 말씀드려요. 생각보다 이직 준비가 길어질 수도 있고 원하는 곳에 합격한다는 보장도 없기 때문이죠. 그래서 꼭 다른 이직처를 구하고 이동하라고 말씀드리고 싶어요.

특히 더 중요한 점은 더 이상 제 가치를 인정받기 어려울 때, 이직 시장에서 자신의 강점을 어필하기 어려울 때, 조급해하지 말고 한 템포 쉬어 가는 것을 고려하는 것이라고 말씀드리고 싶어요. 서류 통과 후 면접에 합격해서 떨어진 경험이 없었던 저였기에 이직하기가 쉽지 않을 것 같다는 경험을 하면서 자신감이 점점 없어지게 되었어요. 그러면서 많이 위축되기도 하고 레퍼런스가 안 좋은 건가, 이런저런 생각이 많이 들었습니다.

자신감이 많이 하락한 상황에서 저는 회사에서 얻을 수 없는 성취감을 취미생활에서 찾았습니다. 조용한 사직을 실천하며 시간과 에너지를 활용하는 길이었습니다. 그렇게 시간을 아깝지 않게 활용하고, 앞으로 이직할 수 있는 자신감을 키워갔습니다. 현재 이직한 사람들의 이야기나 조언을 되새기면서 마음을 다잡았습니다. 제 자신이 어리석게 회사와 협상했던 때를 후회하기도 했지만 이미 지나간 시간과 기회는 잊어버리고 도약하는 방향으로 나아가고자 합니다. 저도 그렇지만 사람들은 늘 과거에 머무르고 곱씹어 보는 경향이 있습니다. 그렇지만 이를 극복해야 하고 흐르는 시간을 낭비하시지 말라고 말씀드리고 싶습니다.

제10화 원하는 산업군으로 떠나라

안녕하세요. 저는 대학 졸업 후에 L 전자 회사에 입사했습니다. 처음에는 대기업에 입사했다는 것만으로도 자부심을 느끼고 만족했습니다. 그런데 신입 시절부터 생각보다 야근이 많았고 야근 수당도 보상으로 충분하지 않다는 생각이 들었어요. 그때는 저만 야근하는 것이 아니라 모든 팀원이 같이 야근하는 상황이었기 때문에 불만을 표출하기도 어려웠습니다. 그렇게 야근 문화가 보편화되었던 시절이 있었어요.

야근보다도 부서에 대한 불만이 점점 많아지면서 이직해야겠다고 생각했어요. 부서가 불안정하다고 느꼈고 소문도 많이 돌았어요. 그러면서 안정적인 산업으로 가야겠다고 생각했고 다른 회사에 중고 신입으로 지원했습니다. 다른 신입보다 나이가 많았지만, 이직할 회사가 이전 회사보다 기본급이 천만 원 이상 높아서 만족했습니다. 두 번째 회사는 근무 환경은 매우 안정적이라고 생각했는데 시대가 변하면서 산업군이 점점 사양 산업이 되었어요. 그래도 선배들은 안정적이라고 추천을 했는데 저는 아직 젊어서 안정보다는 일을 많이 배우고 싶다는 생각이 있었습니다.

산업 분석 책을 읽으면서 앞으로의 주도 산업에 관한 공부를 시작하게 되었어요. 저는 직무보다도 회사가 가지고 있는 기술이나 핵심 사업이 무엇인지 파악해 보고 기업 분석을 추가로 더 했습니다. 그러면서 반도체나 메모리 산업으로 이직해야 한다고 막연히 생각만 하고 있었는데 우연히 이직 기회가 왔습니다. 그래서 늘 준비하는 자에게 기회가 있다고 생각합니다.

• 본인의 KICK이 있다면?

두 번째 회사에서 다시 이직을 준비한 기간은 1년 이상 걸렸어요. 이직하기 위해 많은 지원서를

작성했지만, 서류 합격조차 못 했습니다. 이런 결과가 계속 이어지다 보니 좌절을 많이 하게 되었고 심기일전해야겠다고 생각했어요. 그래서 신입 때 준비한 것을 하나씩 생각해 보며 스펙을 업그레이드할 결심을 했습니다. 관련 직무 자격증을 취득하고 영어 점수를 꾸준히 업데이트하며 이력서에 포함할 사항을 추가했습니다.

그러던 중 리멤버 애플리케이션을 통해서 헤드헌터로부터 연락이 오기 시작했습니다. 저는 헤드헌터에게 의지하거나 헤드헌터가 도움을 줄 거라는 생각을 하지 않았어요. 그런데 제가 헤드헌터를 통해 이직에 성공하게 되었습니다. 제 이직이 성사되면 헤드헌터도 성공 보수가 있어서 열심히 도와주신 것으로 생각이 들었지만 많은 도움을 받아서 감사하게 생각하고 있어요. 주말에 헤드헌터께서 자기소개서 첨삭 및 첨언을 해 주셔서 수정하였고 특히 면접 시뮬레이션을 통해 면접을 준비하면서 질의 대응 조언도 받았습니다. 그러면서 면접에 대한 부담감도 줄이고 긴장도 덜 하게 되었습니다.

저는 처음부터 대기업에 입사하였기 때문에 이

직을 준비할 때도 회사 네임을 중요하게 생각했습니다. 물론 제가 원하는 산업군으로 회사를 옮겨야 한다는 가정하에서요. 그리고 이직을 준비할 때 연봉보다는 산업의 흐름을 분석하는 것이 중요하다고 생각해요. 저는 산업 트렌드에 맞게 이직할 회사를 찾아보고 커리어 로드맵을 설계하라고 말씀드리고 싶어요.

• 이직러에게 조언을 해준다면?

제 생각에는 뽑는 회사의 직무와 부서에서 원하는 인재상을 선택하는 것이 경력직의 이직에 있어서 중요하다고 생각합니다. 원하는 산업군을 찾아서 이직을 준비하는 것이 중요하고 그 회사에 본인과 직무가 잘 맞는 곳, 즉 핏(fit)이 잘 맞는 곳으로 찾는 것이 중요합니다. 예를 들어 동일한 회사에 저랑 핏이 맞지 않은 직무에 지원했을 때는 서류 합격을 못했지만, 현재의 직무에 지원했을 때는 합격했습니다. 그만큼 직무의 통일성이 중요하다고 생각해요.

고스펙이라도 그 회사가 원하는 인재상과 핏에 맞지 않을 수 있어요. 제가 경쟁 지원자보다 스펙이 부족한 경우도 있고 그렇지 않더라도 경쟁자가 더 적합한 사람이라고 판단이 되면 제가 뽑히지 못합니다. 제가 최종 합격했다는 것은 그 회사 또는 그 직무에 알맞은 사람이라고 서로 인정하고 합의가 이뤄진 것이라고 볼 수 있어요.

저는 동일한 직무를 계속 수행하고 산업 트렌드를 파악해서 회사를 선택하라고 말씀드리고 싶어요. 예전에 재직한 회사에서는 거기에서 계속해서 일하면 언제 승진이 가능할지 모르겠다는 생각이 들었다면, 현재 회사에서는 좀 더 열심히 일하면 인정받을 수 있겠다는 생각이 들어요. 물론 상향 평준화된 조직이라 부담과 압박이 있긴 합니다만 이직 후 저 자신이 업그레이드되어 더 자신감을 가지게 되었습니다.

제11화 직무 방향성과 확장성을 고려하라

안녕하세요. 저는 대학을 졸업한 후 외국계 엑셀러레이터에 입사했습니다. 당시에는 엑셀러레이터 개념이 생소했지만, 스타트업이 점점 많아지고 있었기에 엑셀러레이터 직무에 대한 흥미가 있어서 지원한 것이지요. 엑셀러레이터는 스타트업을 발굴하고 투자를 검토하는 업무인데, 정부 지원 사업도 가능해서 스타트업 육성 업무 A부터 Z까지 모든 일을 수행할 수 있었어요. 저는 20대 중반에 나이도 어리고 사회 경험이 부족했기 때문에 무조건 경력을 쌓아야 한다는 생각이 있었습니다. 그러던 중 벤처 캐피털에서 스타트업 투자 심사 역할을 하는 심사역을 알게 되면서 투자 업계로 이직을 생각하게 되었습니다.

스타트업 육성 업무뿐만 아니라 투자 업무로 직

무를 확장하고 싶은 마음이 있어서 어떻게 준비하면 좋을까 하는 생각을 했었어요. 업계 특성상 인맥이 중요한 요인으로 작용한다는 것을 알게 되었고,. 때마침 어떤 엑셀러레이터 대표님께서 다른 벤처 캐피털 업계 대표님을 소개해 주셨어요. 그러면서 저의 목표와 포부를 말씀드리게 되었고 그렇게 두 번째 이직은 순조롭게 진행하게 되었습니다.

두 번째로 이직한 곳은 펀드 규모가 작고 운영 규모도 작았지만, 스타트업을 발굴하는 역할이 흥미로웠습니다. 스타트업이 굉장히 활성화되고 있는 시점이기도 했어요. 벤처 캐피털은 대기업 산하 조직이 아니고서는 인원이 매우 적게 운영되는 곳이라 대표님으로부터 실질적인 직무 교육을 받을 수 있었어요. 이러한 기회는 모두가 경험할 수 있는 것은 아니라고 생각해요.

지금은 벤처 캐피털 업계가 많은 사람들에게 알려졌지만, 업계 특성상 인맥으로 딜이 오고 가는 성향이 있어 폐쇄적인 문화가 존재합니다. 업계 특성상 인맥, 학연, 지연 등 사람을 통해 투자가 진행되는 것도 많았어요. 딜(Deal)을 발굴하고 클럽딜

(공동투자)로 투자하고 사후관리도 체크하죠. 저는 엑셀러레이터일 때 다양한 업무를 한 경험이 많이 도움이 되었어요. 인원이 적기 때문에 소소한 업무도 각자 처리해야 할 때가 많았거든요. 심사역에 2년 정도 근무하면서 딜 경험을 쌓았어요. 그러면서 무엇보다 펀드 규모가 큰 기관으로 이직해야겠다고 생각했어요. 큰 규모의 펀드 경력이 있어야 포트폴리오 관리도 되고 저의 투자 레퍼런스가 쌓이거든요. 그래야 나중에 대표 펀드 매니저가 될 기회가 오기 때문에 이직을 준비하게 되었습니다.

저는 연봉을 최우선으로 생각해서 계속 연봉을 올려서 이직하긴 했어요. 연봉도 연봉이지만 제 커리어에 맞는 직무라면 이직하기로 마음먹었고 앞으로도 그렇게 이직의 원칙을 세우고 이직해야 한다고 생각해요. 또 본인의 성향 분석이 중요하다고 생각해요. VC는 스타트업 대표뿐만 아니라 다양한 사람들을 많이 만나게 되는데 사람 만나고 돌아다니는 업무가 맞지 않으면 하기 힘들죠. 다행히도 전 사람을 만나고 다니는 것이 잘 맞았고 저녁에 모임도 빠짐없이 참석하려고 했어요. 술자리도 마다하지 않고 늦게까지 있을 때가 많았어요.

제가 가장 중요하게 본 포인트는 이직할 회사의 팀장과 회사의 분위기를 사전에 듣고 이직했다는 겁니다. 저는 공고를 보고 이직한 것이 아니고 지인의 소개로 이직한 케이스예요. 그래서 이 회사의 장단점을 먼저 알고 지원했기에 이직이 수월했죠. 입사한 후에 분위기를 먼저 알아서 업무 효율성도 매우 높았고 회사에 대한 불만도 적었습니다.

제가 이직을 통해 깨달은 점은 연봉이 만족스럽더라도 회사의 결이 맞아야 하고 같이 일하는 사람 간의 조화가 중요하다는 것입니다. 사람 간의 화합이 이루어지지 않으면 업무를 제대로 수행할 수 없거든요. 그러다 보면 결국 다시 이직을 준비하게 됩니다. 그렇게 되면 시간과 에너지를 낭비하게 되는 거죠. 한번 이직을 준비할 때 여러 가지 상황을 고려하여 한 번에 잘 이직하는 것을 추천해 드려요. 벤처 캐피털 업계는 폐쇄적이기도 하고 업계 바닥이 좁기 때문에 얘기가 굉장히 빠르게 도는 편이라 이직을 신중히 했으면 해요. 선배나 아는 지인을 통해 이직할 회사의 정보를 알아보고 팀장의 평판이 좋은지 확인하는 것도 중요하다고 생각해요. 제가 사람 좋은 곳에서 많은 것을 배웠기 때문에 지금도 이 업계에서 이직하고 심사역 업무를 계속할 수 있다고 생각합니다. 언젠가 저도 대표 펀드매니저가 되고 좋은 팀장이 되어서 후배에게 많은 것을 알려 줄 수 있기를 바랍니다.

• 본인의 KICK이 있다면?

엑셀러레이터에서 처음 사회생활을 시작하다 보니 조금 힘든 부분이 있었어요. 정확히 말하면 스타트업계가 조금 생소하기도 했고 엑셀러레이터가 정확히 어떤 업무를 하는 것인지 잘 알지 못했어요. 직원도 많지 않았었고 제가 굵직한 프로젝트를 다 맡아서 수행하다 보니 단시간에 다양한 업무를 수행하게 되었고 급격하게 업무 스킬이 늘었던 시기이기도 했어요. 일을 하다 보니 소소한 일을 다 하게 되면서 업무에 대한 불평도 많아지게 되었죠.

이직을 준비하게 되면서 그런 다양한 경험이 저에게 경력으로 많은 도움이 되었다는 것을 알게 되었습니다. 스타트업을 찾아보고 투자 딜을 성사하기 위해 네트워킹하고 딜 검토와 투자 집행, 사후관리까지 짧은 사회생활에서 전체 투자 프로세스를 경험해 본 것이 저에게 장점이 되었습니다.

저는 작은 회사에 입사하더라도, 처음에는 불평이 생기겠지만 긍정적으로 받아들이고 작은 업무라도 모든 일을 경력으로 쌓을 수 있도록 하시라고 감히 말씀드리고 싶어요. 업계 특성상 AC, VC는 소수의 인원으로 회사가 운영되는 곳이 많기 때문에 다양한 경험을 갖춘 사람을 선호하는 경향이 있어요. 전체적으로 회사 운영 업무를 전부 해본다는 마음을 가지고 직무에 임하면 더 좋을 것 같아요. 그러다 보면 원하는 직무에 갈 수 있는 기회를 잡을 수 있고 본인 커리어도 빠른 성장이 가능하다고 생각합니다.

• 이직러에게 조언을 해준다면?

돌이켜 생각해 보면 제가 벤처 캐피털 업계에 있을 거라는 상상은 못 했습니다. 엑셀러레이터에 재직하면서 업계를 변경한 케이스거든요. 저는 업계를 분석하고 본인이 가고자 하는 산업을 알아보는 것을 추천해 드려요. 제가 가고자 하는 직무의 방향성을 알아보고 제가 적합한 인재인지 생각해 보는 것이죠. 저는 네트워킹을 하면서 업계 사람들을 많이 알아가게 됐고, 그러면서 직무에 대한 고민을 많이 하게 되었으며 결과적으로 이동을 하는 데 많은 도움을 받았습니다.

 본인이 원하는 분야의 멘토를 찾아가서 산업에 대한 이야기를 먼저 접하면 좋을 것 같아요. 그러면 네트워킹도 생기도 여러 사람을 만나면서 새로운 산업을 또 발견할 수 있습니다. 저는 기회는 만들어가는 것이라고 믿어요. 제가 비록 경력은 짧았지만, 저를 믿어준 대표님과 계속 연락을 지내고 있고 모두 업계 사람들이기 때문에 지속해서 딜 소싱이나 업무 관련해서 도움을 많이 받고 있습니다.

네트워킹을 통해 제가 도움을 받았다면 언젠가 돌려 드려야 한다는 생각은 늘 하고 있습니다. '세상에 공짜 점심은 없다'라고 생각하기 때문이죠. 좋은 딜이 있으면 공유도 하고 산업 분석 자료나 고급 정보를 같이 공유해 드리면서 좋은 관계를 유지하고 있습니다.

제12화 이동/발령을 피할 수 없다면 떠나라

안녕하세요. 저는 첫 직장으로 대기업에 입사했고 거의 안전 분야에서 10년 정도 근무했습니다. 보통 안전팀은 본사에 상주하지 않고 지방 공장에 있는 경우가 많습니다. 미혼일 때는 지방 이동 발령을 받는 것이 큰 부담은 없었습니다. 지방 출장을 가는 것이 체력적으로 힘들 때도 있었지만 즐기기도 했습니다.

제가 결혼을 하고 가정이 생기면서 지방 출장으로 인한 출퇴근 시간이 부담으로 느껴졌어요. 그러면서 업무 효율성이 떨어지는 것을 체감했습니다. 아이가 태어나고 육아를 병행하기 시작하면서 더욱 체력적으로 힘들었습니다. 지방에 연고지가 없는 업무를 수행하는 것이 독신일 때는 가능했지만, 오랜 시간 동안 결혼 생활을 이어가면서 계속할 수는 없다는 생각이 들었습니다. 그래서 서울 지역으로의 이직을 고려하여 현재의 직장에 입사하게 되었습니다.

이직을 결정할 때 가장 고려한 요소는 지역이 서울인지와 연봉이었습니다. 이직 때마다 연봉을 올려가면서 이직했지만, 지방에서 근무하다 보니 주말에 서울을 오가는 비용과 생활하는 비용이 부담스럽더라고요. 그래서 돈을 많이 모을 수 없었습니다. 그러던 중 결혼하고 가정을 꾸리게 되면서 이동 발령을 받는 것이 심적으로 부담스러워졌어요. 그러면서 서울 지역에서 근무할 수 있는 안전팀으로 선택의 폭을 줄인 것 같습니다.

이직 고려 시 연봉이나 워라밸보다 이동 발령을 중요시 생각한다는 것에 대해서 놀라실 수도 있어요. 하지만 한 번이라도 연고지가 없는 지방에서 근무해 본 경험이 있는 분들이라면 많이 공감을 해주실 것으로 생각합니다. 결혼 후 주말 부부 생활을 2년 이상 했고, 육아를 병행하기 전까지는 회사에 대한 큰 불만은 없었습니다. 그러나 육아를 시작하면서 가장으로서 책임감을 더 느끼게 되면서 이직을 선택하게 됐습니다.

• 본인의 KICK이 있다면?

안전관리 직무를 10년 이상 수행한 경력이 있었기 때문에 이직할 때 경력을 무조건 강조했습니다. 이 분야가 최근에 주목받고 있는 산업이기도 하고 중대재해 처벌 등에 관한 법률 시행으로 기업마다 안전 부서를 신설해야 했습니다. 기업마다 관리자가 부족한 상황이라 구직 시장이 활발했고 앞으로도 꾸준히 수요가 있을 것으로 보입니다.

저는 이직할 때 모두 헤드헌터를 통해 이직한 케이스입니다. 직무가 다소 특이한 점도 있고 수요가 많기 때문에 헤드헌터에서 계속 연락이 왔습니다. 헤드헌터를 믿지 못하기도 했는데 결과적으로는 이직을 성공적으로 하면서 만족스러웠습니다. 연봉이나 워라밸은 현재 회사도 만족스러웠기 때문에 크게 고려하지 않았습니다. 항상 점프를 해서 이직해야 한다고 생각했고 회사 안정성은 앞으로 사회 변화에 따라 변할 수 있는 부분이라고 생각했습니다.

첫 직장에서 매우 만족하며 근무한 케이스이고 석사를 수학하고 있었는데 이직할 때 어필할 수 있는 부분은 아니었어요. 졸업한 상태였으면 달라졌을 수도 있겠지만요. 단순히 가정이 생기면서 이직을 고려한 케이스입니다. 제가 강점으로 가지고 있는 직무가 각 회사에서 원하는 직무이기 때문에 이직한 직장에서도 커리어를 잘 쌓아서 더 좋은 기회가 있다면 이직을 고려할 생각입니다.

• 이직러에게 조언을 해준다면?

앞으로 이직을 준비하는 초년생들에게 조언을 하자면, 자기 계발과 전문성을 키우는 것이 매우 중요하다고 강조하고 싶어요. 고연차가 될수록 큰 도움이 될 것입니다. 앞으로 인생은 어떻게 될지 모르기 때문에 언제나 이동이나 발령은 발생할 수 있습니다. 따라서 이런 변화를 충분히 대처하고 대응하기 위해서는 본인의 전문성을 갖추는 것이 중요합니다. 자기 계발을 통해 스킬을 향상하고 전문성을 쌓는 것은 여러 도전과 변화에 대비할 수 있는 기반이 될 거예요. 저연차 때부터 자기 계발에 주력하고, 다양한 경험을 쌓아 나가는 것을 추천해 드리고 싶습니다.

현재 나이에서 전문직이 되는 것은 어려운 일이지만, 전문성을 키워가는 노력을 함으로써 직무를 더 견고하게 만들고 이직하면 더 나은 사회생활을 할 수 있을 것입니다. 전문성을 키워가는 과정에서 지식과 기술을 습득하고 경험을 쌓아가는 것이 중요합니다. 직무 전문성은 개인의 성장과 능력을 향상하는 동시에 현재 회사에서 더 나은 직무 수행을 가능하게 합니다. 그러면 앞으로 본인의 직무를 바탕으로 새로운 업무 영역을 확장할 수 있으며 전문성을 개발하는 데 집중하여 자신의 직무 역량을 탄탄하게 구축할 수 있을 것입니다.

제13화 글로벌하게 준비하고 떠나라

안녕하세요. 저는 미국에서 생화학을 전공했어요. 자연스럽게 대학 졸업 후 의학전문 대학원을 준비했습니다. 준비하는 동안에는 봉사 활동을 하고 연구에도 참여해야 했고 연구를 시작하면서 많은 연구 결과물을 얻어 논문을 발표하게 되었습니다. 그러나 의학전문 대학원 준비가 늦어지게 되었고, 연구를 계속하면서 암 케어 센터와 같은 곳에서 연구하고 포스트 닥터(박사 후 과정) 프로그램을 통해 의대나 치대에 입학할 수 있는 가능성을 알게 되었습니다. 그러던 중 조세미의 <세계는 지금 이러한 인재를 원한다>라는 책을 읽고 맥킨지&컴퍼니 컨설팅회사를 알게 되었어요. 의학 전문대학원을 준비하는 대신 컨설팅 분야로 진로를 변경하고자 했습니다. 그래서 부모님께 말씀드리고 진로를 바꾸게 되었습니다.

그런데 주요 컨설팅 회사들은 전통적으로 경영 분야에 집중하고 있어서 저와 같은 자연과학 대학의 생물화학 분야 학생들을 별로 원하지 않았습니다. 그리고 특히 IT 컨설팅 분야에 많은 인재를 채용하고 있었습니다. 그래서 저는 작은 지역의 컨설팅 회사에 입사하여 경험을 쌓기 시작했습니다. 이곳에서 2년 동안 일한 후, 리먼 브라더스 탓에 갑작스럽게 해고당했습니다. 이때 매우 당황스러웠지만, 경제 상황이 좋지 않아 어쩔 수 없다는 것을 인지하고 받아들였습니다.

그래서 대학원 석사 과정(MBA)에 입학하게 되었고 새로운 돌파구를 찾고자 했습니다. 그러던 중 졸업 전에 S사에서 채용 리크루팅 기회가 생겨서 S사에 흥미를 느끼게 되었습니다. 그러나 저에게 맞는 직무 요구사항이 없었기 때문에 인사팀에 제 아이디어를 제안하여 해당 직무 요구사항을 만들어달라고 요청했습니다. 그 결과, 시카고에서 면접을 보게 될 기회를 얻게 되었고 S사에 기여할 수 있는 생각을 발표했습니다. 그때 자신감 있게 면접에 임하면서 제가 지금까지 하고 싶었던 방향성과 시대적 변화를 고려하여 S사의 모바일 헬스케어 분야에 대한 아이디어를 설명했습니다.

저는 당당하게 합격하게 되었고 전공을 활용하여 디지털 헬스케어 분야의 S사에서 6년 동안 일하게 되었으며, 개인적으로도 성과를 얻어 만족하며 근무했습니다. 그러나 회사 생활을 하면서 다른 미국 시민권자들이 저보다 훨씬 좋은 대우를 받는다는 것을 알게 되었고 그런 얘기를 접하자 미국으로 돌아가고 싶다는 생각을 하게 되었습니다.

그래서 미국으로 돌아가서 글로벌 회사인 G사의 자회사에 진행하는 디지털 헬스케어 프러젝트에 조인하게 되었어요. 3년 동안 디지털 헬스케어 분야에서 경력을 쌓게 되었고, 많은 사람들을 알게 되었습니다. 프로젝트를 통해서 알게 된 지인의 추천을 받아 G사 본사와 인터뷰할 기회를 얻었습니다. 현재 저는 G사에 입사하여 디지털 헬스케어 마케팅 분야에서 흥미로운 일을 치열하게 수행하고 있습니다.

• 이직러에게 조언을 해준다면?

저는 서류까지 통과되어 면접을 준비하는 과정을 말씀드리고 싶어요. 서류 1차가 통과되었다면 경쟁자들이 압축되었을 거예요. 그때 본인이 얼만큼 그 회사의 입사를 원하는지, 혹은 직무의 적합성이 맞는지를 어필할 수 있는 시간은 고작 30분도 채 안 될 수가 있지요. 그러면 저를 어필할 수 있는 시간이 아주 짧으므로 압축적으로 이야기를 풀어나가야 한다고 생각해요.

그래서 저는 면접을 준비할 때 A4 용지 약 30~40장 정도에 산업 분석, 회사 분석, 경쟁사 분석을 철저하게 준비했어요. 그리고 지원할 때 공고에 올라온 직무 요구사항을 정확히 확인하고 제가 기여할 수 있는 부분을 찾아보고 어필할 포인트를 찾고 준비했어요. 이러한 분석이 끝나면 저에 대한 분석을 시작했어요. 제가 지금까지 프로젝트를 한 결과를 바탕으로 인사이트를 도출하려고 했는데, 이 부분이 끝나야 제가 원하는 자리에서 어떤 일을 하고 어떤 성과를 낼 수 있는지를 말할 수가 있기 때문이지요.

실리콘 밸리 특성상 3년마다 이직을 권장하는 분위기고, 계속 이직해서 본인을 업그레이드하는 것을 긍정적으로 보는 시각이 있었어요. 이런 마인드는 한국과는 다르다고 느꼈어요. 한국은 한 회사에 짧은 기간 재직한 경우, 레퍼런스를 안 좋게 생각하는 편견이 있더라고요. 회사에 적응하지 못한 건가, 혹은 성과가 좋지 않았나 등 어떤 이슈가 있어 이직했다고 생각하는 경우가 종종 있었어요. 그래서 한국에서는 입사를 신중하게 하고 적어도 1년, 많으면 3년까지 버티는 분들이 많은 거 같아요.

제가 조언해 드리고 싶은 점은 인생이 어떻게 될지 모른다는 점과 기회가 찾아왔을 때 준비된 사람만이 그 기회를 잡을 수 있다는 것입니다. 특히 기회가 생기면 한국이든 해외든 지원을 해서 더 나은 환경으로 이직을 준비하는 것을 추천해 드립니다. 저는 G사에서 일하면서 해외로 나가서 일하는 것이 저에게 더 좋은 조건이고 기회라는 것을 많이 느꼈습니다. 작은 회사에서 일할 때 네트워킹이 중요하다고 생각했는데 미국에서도 면접까지 추천으로 입사하게 되니 더욱 실감을 하게 되었습니다. 저는 회사뿐만 아니라 외부에서 만나는 사람들과의 네트워킹이 매우 중요하다는 것을 뼈저리게 실감을 했습니다. 하루에 8시간 일을 하는데 누구와 어떻게 일하는지가 제 인생을 달라지게 하는 중요한 부분이라고 생각해요.

현재 G사에서 일하면서도 가장 중요한 점은 네트워킹이라고 감히 말씀드리고 싶어요. 각 개인의 역량이나 스펙 여하를 떠나서 얼마나 일을 사랑하고, 열정적으로 일하는 사람들과 같이 일을 하는가가 저에게 선한 영향력을 많이 미친다는 것을 배웠습니다. 다른 회사 어디에서도 만나기 힘든 사람들이라고 생각해요. 각자의 위치에서 열정적으로 사는 사람들을 만나면서 배우는 점이 크고 제 커리어나 인사이트를 확장해 나가는 데 도움이 되었습니다. 그래서 저 또한 다른 사람에게 도움을 주고 좋은 영향력을 미치는 동료가 되기 위해 많이 노력하고 있습니다.

제14화 원하는 직무를 찾아서 떠나라

안녕하세요. 저는 대학 시절 도서관에서 사서로 일한 경험이 있습니다. 한 방송국 내 도서관에서 근무하면서 문헌정보학에 대한 적성을 확인해 보고자 했습니다. 그러나 오랜 시간 한자리에 앉아 있는 일은 잘 맞지 않았습니다. 그래서 대학교 시절에는 여러 가지 아르바이트와 인턴을 경험했습니다. 그중에서 첫 직장은 개발자로 중소기업에서 시작했습니다. 시스템 개발 지원 업무로 시작해서 점차 컨설팅 업무까지 이어나갔으며, 이 과정에서 지인 소개로 이직하게 되었습니다.

이직 후 처음 맡은 직무는 개발과 직접적인 연관이 없었으므로, 결과적으로 업무를 변경하게 되었습니다. 그리고 같이 일하시는 분께서 저를 좋게 평가해 주셔서 외국계 회사로 또 이직하게 되었습니다. 직무는 IT 영업 관련 업무였고, 제가 활동적으로 돌아다니고 사람들과 만나는 것을 선호하기 때문에 잘 맞는 직무였습니다. 외국계 회사에서는 개인 중심적이고 성과 중심적인 문화가 있어서 제 역량을 발휘할 수 있는 장점이 있다고 생각했습니다. 현재는 대기업에서 나이나 학벌을 고려하지 않고 블라인드 채용을 하고 있다고 하지만, 제 가능성을 인정해 주는 곳은 주로 외국계 회사인 것 같습니다. 특히 여성으로서 결혼이나 육아로 인해 제한과 제약이 많은 상황이었습니다. 그러나 그런 이유로 일을 게을리하지 않고, 3년 안에 계속해서 이직해야 한다고 생각하고 있었습니다. 이것은 한 회사에 안주하기를 원하지 않았던 이유였고, 주변에서 추천받아 이직하고 일을 계속할 수 있는 동기가 되었습니다.

저는 지금까지 이직할 때 연봉을 가장 중요하게 고려하지 않았는데, 계속해서 일을 하다 보니 연봉이 자연스럽게 증가한 것 같습니다. 그래서 본인이 원하는 경력과 꿈이 있다면 이직을 계속하는 것이 맞는다고 생각합니다. 사람들이 한 회사에서 안정감을 가지고 일하는 것에 대해서는 개인의 취향에 따라 다를 것이라고 생각합니다. 하지만 저는 성취감을 중요시하는 성향입니다. 또한, 부당한 평가와 대우가 흔한 대기업 문화와는 잘 맞지 않습니다. 중소기업에서 일하다가 대기업에서 IT 영업 업무로 직무를 변경하면서 대표님들을 많이 만나고 면담할 기회가 있었습니다. 그래서 이직이나 스카우트 제안을 받은 적도 있고 이직을 통해 네트워킹 측면에서도 많은 도움을 받았습니다.

그들로부터 회사가 원하는 인재상이나 세상을 바라보는 시각 등을 많이 배울 수 있었다고 생각합니다. 그러므로 저는 끊임없이 성장할 수 있는 회사로 이직하는 것을 권장하고 싶습니다. 본인이 더 이상 배울 게 없고 능력을 발휘할 수 없다면 그 조직에 머무를 이유가 없는데, 연봉이 높다는 이유로 한 조직에 머무르는 사람들이 많다는 것을 알고 있습니다. 저와 성향이 다른 것이라고 생각하므로 어떤 말씀을 드릴 수는 없지만, 저는 항상 도전적이고 진취적으로 세상을 긍정적으로 바라보는 시각을 중요하게 생각합니다.

저는 현재 육아도 하고 재택근무를 하고 있기 때문에 외국계 기업에서 일하는 것이 큰 장점 중 하나라고 생각합니다. 지금도 많은 분에게 이직 고려 시 외국계 회사를 추천해 주고 있어요. 저도 임원급으로 진급할 기회가 오면 이직을 준비할 생각입니다. 저는 제가 잘할 수 있는 일을 해서 좋은 성과를 만들어 내고 싶어요. 특히 여성으로서 사회에서 일을 계속할 수 있는 것과 후배들에게 선한 영향력을 미칠 수 있는 것을 항상 염두에 두고 있습니다.

• 본인의 KICK이 있다면?

저는 이직할 때 주로 3년 이상 같은 역할을 유지하지 않고 직급 승진, 부서 이동, 또는 회사 이직을 통해 업그레이드했습니다. 이러한 역할 변화를 통해 직급도 오르고 연봉도 지속해 상승했습니다. 제 성격상 새로운 도전을 두려워하지 않고 역할 변화를 즐기는 편이었습니다. 워라밸보다는 열정을 가지고 일하는 것을 중요시했고, 회사에서 성과를 내는 데 초점을 맞추며 이직했습니다. 이러한 열정을 바탕으로 일하다 보니 많은 스카우트 제안을 받았습니다. 저는 무엇보다 회사나 조직에서 인정받고 일하는 것이 가장 중요하다고 생각하기 때문에 누구보다 열심히 일을 하는 편입니다. 일반적으로 사람들은 몇 년 안에 이직한다고 계획을 세운다고 들었습니다. 그러나 저는 현실에 충실하면서 살아가자는 마음가짐을 갖고 있어서 계획적으로 많은 이직을 한 적이 없었습니다.

• 이직러에게 조언을 해준다면?

저는 국내에서 태어나고 자란 한국인으로서 영어 실력이 좋지 않았습니다. 그러나 사회 초년생으로 외국계 회사에서 일하게 되면서 영어 공부의 중요성을 알게 되었습니다. 그래서 영어 공부에 꾸준히 노력해야 하는 환경에 노출되었습니다. 20~30대에 영어 회화 공부를 열심히 했고 앞으로도 꾸준히 공부할 예정입니다. 외국계 회사에 재직하면서 현재도 한국인으로서는 영어를 잘한다는 평가를 받지만, 외국대학교 졸업자나 외국인처럼 자유롭게 구사하는 것은 아니라는 것이 늘 마이너스 요소라고 생각합니다. 특히 외국계 회사에서 사회생활을 하려면 의사소통이 가장 중요한 요소입니다. 그렇기에 영어 공부에 더욱 매진하게 되었고 컨퍼런스 콜에서 본사 직원들과 자연스럽게 회의하고자 노력하고 있습니다. 그래서 저는 영어 회화 등 영어 공부를 조금씩이라도 하는 것을 추천해 드립니다.

인스타그램에서 본 카드 뉴스에서 인상 깊었던 구절 중 하나는 '환경을 변화시키지 못하면 본인을 변화시키라'라는 내용입니다. 환경은 원하는 대로 변하지 않지만, 저는 스스로 변화시킬 수 있다는 것을 알기 때문에 영어 공부나 다이어트와 같은 변화에 노력해 왔습니다. 저는 부족한 부분이 있지만, 제가 변화할 수 있는 것에 대해서는 변화하기 위해 노력하고 있습니다. 제가 할 수 있는 일은 무엇이든지 최선을 다하고 있습니다. 이것이 제가 할 수 있는 것이며, 변화할 수 있는 것이기 때문에 하루하루 발전하는 일을 조금씩 실천할 수 있다고 생각합니다.

저는 본인이 원하는 일을 이루기 위해서는 영어 실력이 필요하다면 영어 공부를, 기획 역량이 필요하다면 기획 공부를, 인맥이 필요하다면 네트워킹을 많이 해야 한다고 생각합니다. 본인이 직면한 환경을 직시하고 해결하기 위해서는 본인이 할 수 있는 일을 목표로 삼고 실천해야 한다는 것을 말씀드리고 싶습니다.

저는 5년 후에 모교 동문회 연례행사에 참석하여 강단에서 연설하는 것이 꿈입니다. 제 경험을 선후배에게 공유하고 자랑스러운 동문상을 받는 것이 목표입니다. 저의 목표를 향해 오늘도 열심히 파이팅을 외치며 활기차게 하루를 시작할 수 있는 동기 부여를 하고 있습니다. 각자의 꿈을 상상하는 것만으로도 하루하루 좋은 성과를 이룰 수 있다고 생각합니다.

각 개인이 추구하는 바는 다를 것입니다. 연봉 상승, 승진, 더 좋은 환경으로 이직 등 다양한 개인의 목표는 다르겠지요. 하지만 무엇보다 항상 마음

속에 자기의 꿈과 목표를 가지고 직장인으로서 살아가는 것이 중요하다고 생각합니다. 삶의 목표와 꿈을 포기하지 않고 원하는 방향으로 가고 있다는 것이 정말 중요하다고 생각하기 때문입니다.

에필로그

코로나-19 팬데믹을 경험하면서 국내뿐만 아니라 글로벌 직장인 사이에서 '대퇴사 시대'와 '조용한 사직'이 핫한 키워드로 자리 잡았습니다. 주는 만큼만 일하고 열정적인 업무 활동을 하지 않는 것입니다. 이는 직장 생활에서 더 이상 열정과 희망, 그리고 노력한 만큼의 보상이 주어지지 않는다는 것을 의미하기도 합니다.

이직을 고려하는 사람들에게 이 책의 이야기들을 나누기 위해 집필했습니다. 변화하는 사회 속에서 막다른 길에 서 있는 이들에게 용기와 지혜를 선물하고 싶었습니다. 우리는 모두 다양한 도전과 기회를 찾아 더 나은 자신을 만들어 나가고자 합니다. 이직을 통한 삶의 변화는 두렵지만 동시에 놀라운 성장과 발견의 기회가 된다고 생각합니다.

한 단계 업그레이드하며 자신의 가능성을 믿고 미래에 대한 두려움을 이길 수 있다고 생각합니다.

어느덧 나이도 많아지고 아이들도 돌봐야 하면서 여성으로서 여러 유리 장벽에 직면하고 직장생활에 어려움을 겪는 많은 분이 있습니다. 육아와 직장을 병행하는 직장인들은 물론, 직장과 학업을 병행하는 직장인들에게도 더 큰 박수를 보내고 싶습니다. 각자 어려운 환경 속에서 이직에 대한 갈망을 통해 본인의 삶을 업그레이드하는 모든 직장인에게 박수를 보내고 싶습니다. 인터뷰를 진행하면서 저 또한 커리어를 다시 돌아볼 수 있었습니다. 이직보다 집필을 통해 새로운 세계에 도전하고 있는 것입니다.

손흥민 아버지인 손웅정 감독님이 한 프로그램에서 말씀하신 내용이 있습니다. '내 자식을 알아봐 주지 않는 감독과 같이 있을 필요가 없다.' 손흥민 선수도 이런 아버지의 신념에 따라 원하는 토트넘 팀으로 이적할 수 있었다고 합니다. 프로 이직러는 어디에서 일을 하든 자신을 인정하고 알아봐 주는 곳에서 일을 해야 한다는 철학이 있었다는 것이 일맥상통합니다. 모든 분이 자신의 역량을 발휘하고 또 인정받는 곳에서 누구보다 정당한 몸값과 대우를 받고 일하기를 기원합니다.

인터뷰를 진행하는 동안 이직러의 밝은 목소리와 자신감 있고 힘이 있는 어조가 인상 깊었습니다. 또한 본인의 커리어만큼 중요한 것은 없다고 할 정도로 커리어에 매우 많은 관심이 있는 모습이었습니다. 자신의 상황과 입장을 솔직하고 담백하게 풀어내는 모습과 자신의 커리어에 당당한 모습을 보면서 새로운 긍정적인 에너지를 얻었습니다. 다시 한번 흔쾌히 인터뷰에 응해준 14명의 프로 이직러께 감사드립니다.

이직러 14명의 귀한 이야기를 당신의 마음에 새겨 주길 바랍니다. 이 책을 읽는 모두가 변화와 도전의 시기를 멋지게 극복하고 더 나은 인생을 찾아 나서는 데 도움이 되길 바랍니다. 당신도 성공한 이직 이야기의 주인공이 될 수 있습니다.